名場面でわかる 刺さる小説の技術

三宅香帆
Miyake Kaho

中央公論新社

目次

講義編

名場面編

第2章　ふたりはどの段階？ ――関係性の変化を書く――

第3章 事件はどこで起きてる？ ――場面設定を書く――

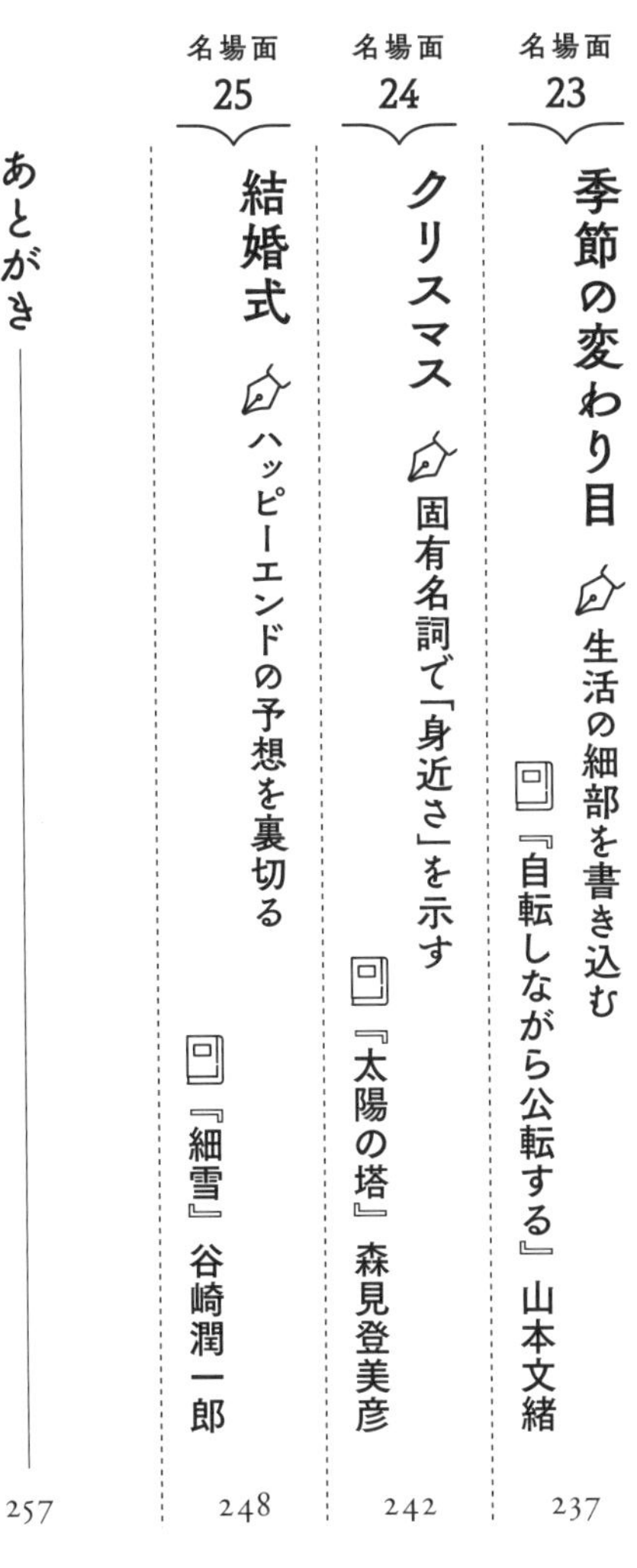

装画　uki
装幀　山影麻奈

名場面でわかる
刺さる小説の技術

講義編

講義1　本書を書こうと思った経緯と、本書の使い方

1．本書を書こうと思った長い長い経緯

本書は「婦人公論.jp」で連載していた、「書きたい人のための「名場面読本」」を一冊にまとめたものです。加筆修正をおこない、単行本化にいたりました。

連載のコンセプトは、〈あなたの参考にしたい名場面が見つかる！〉。

趣味の創作、小説執筆、あるいは二次創作など。もしあなたが「書きたい人」ならば、あなたの文章にとってもっとも参考になるのは、間違いなくプロが書いた文章です。

それでは、文章のプロとアマチュアって、何がいちばん違うのでしょう。

それは、「グッとくる名場面を書けるかどうか」にある……小説というジャンルのファンである書評家の私は、そう思っています。

というのも、小説を読んでいて、〈全体的にぼんやりと面白い小説〉よりも、〈ここぞという面白い場面がある小説〉のほうが、読み手として「この小説よかった！」と言いやすいんです。なにか一場面でも、「あー、いいなあ」と感じる場面があると、その小説を読んでよかった、と思える。

では、どうすれば名場面を書けるのか?

プロの作品を読んで分析して参考にするのがいちばんでしょう!

そんなわけで本書は、数ある小説のなかからこれぞという名場面を選び、解説してみました。

……と、この本の基本的なコンセプトを語ってみたところで。さらに本書が生まれた長い長い経緯を、ちょっとお話ししたいと思います。あんまり興味ない方はページをめくり、講義2まで飛んでくださいい! 興味のある方は少し、本書ができるまでの与太話にお付き合いください。

さて。実は私、最近「二次創作」に手を出したんですね。

ちょろっと書きましたが、私は普段書評家という、本の魅力を解説する仕事をしています。おすすめの本を紹介したり、小説を批評したりする仕事です。なので基本的に本を読んで、その本について書いて、日々を過ごしています。

講義1
本書を書こうと思った経緯と、本書の使い方

が、あれは忘れもしない二〇二一年のこと。コロナ禍の生活も浸透し、おうち時間なんてわざわざ皆が言わなくなった時代のこと。――私は唐突に某漫画にハマり、そしてアラサーにして二次創作の扉を開いたのです。そして知った。世の中には pixiv というサイトに、大量の二次創作小説が溢(あふ)れていることを。

「ちょっ、出版界が出版不況とか言っている間に、みんなこんなに小説を読んで書いてたの!?」

いやー、びっくりしましたよね。本が売れないとか出版界の大人が嘆いている間に、みんな pixiv に流れていたんだと思いましたね。若者の活字離れとか言う人がいるけど、あれは嘘(うそ)ですわ。老若男女問わずみんなひっそり pixiv で二次創作を読み漁(あさ)っていたんですわ。

そしてハマった、二次創作。面白いんですもん。日に日に小説が更新されるし。短い小説をたくさん読めるし。忙しい日々の合間を縫って、電車のなかで pixiv の更新された小説を読む日々。これはみんなハマるわ、そりゃ pixiv に人が集まりますわ。と納得していました。

そして多くの二次創作の読み手がそうだと思うのですが――読んでいるうちに、やっぱり、自分で書きたくなってくるんですよねっ!

ハマった。書き手としても楽しかったんですよ、二次創作小説。「二〇二一年、お前そんなことしてたから締め切りが遅れたんか……」と仕事の関係者の方々から睨（にら）まれそうですが。楽しかった。あの時期は二次創作の小説ばっかり書いていた。

私は人生ではじめて、自分で短い小説を書くようになった。そして思ったのです。どうすれば面白い小説が書けるんだ!? と。

基本的に何か困ったことがあったら書店に行く習性のある私は、やっぱり書店に行きました。そして「どうすれば面白い小説が書けるのか」を教えてくれそうな本を探しました。が、面白い小説を書くための本って、あるようで、ないんですよね。小説分野ではない普通の文章教室の本は多いのですが（実際私も過去に出しています）。小説の書き方の本って、「どうやってあらすじを組み立てるか」とか「感情を揺さぶるキャラクターを作るには」とか、かなりテクニカルな脚本術の本が多いのです。いやそれも必要なんだけど、もうちょっとオタク向けに「グッとくる小説の書き方」みたいなものはないのかなー、というぼんやりとした考えが胸を掠（かす）めていました。だって二次創作ってキャラクターはすでにいるし、短い小説だと複雑なプロットは必要ないし……。

そんなとき読んだのが、プロの小説家・松岡圭祐先生の『小説家になって億を稼ごう』。小説の書き方から執筆契約の交渉術まで学ぶことのできる、大変面白く読める良書です。

これを読んでいるあなたも、興味があればぜひ買ってみてください（本書を読み終わってからだとなお嬉しいですが……！）。しかし書き手が「億を稼いでいる小説家」の方なだけあって、一般人が読むと、「えっ、ちょっとそこ、詳しく！　そこをどうやってるのか聞きたいのだが！」とツッコミを入れたいポイントがたまにあります。

たとえば、小説の執筆にとりかかる時の注意点について書かれた文章。

原稿を書くにあたり、小説の例文となる本を数冊用意しましょう。これは貴方が尊敬する作家の、特に文章表現に長けていると感心した本に限ります。世間の基準ではなく、貴方自身が決めてください。貴方が書きたい作品が時代小説なら、手本も時代小説にします。ライトノベルなら、手本もライトノベルにしましょう。

（松岡圭祐『小説家になって億を稼ごう』新潮新書、54ページ）

――や、「文章表現に長けた本を選べ」って、けっこうハードル高くないですか……？　こんなこと言うと、松岡さんに「こんなところでハードルを高く感じるやつに、小説なんか書く資格なし！」と怒られるかもしれませんが。しかし私はハードル高く感じてしまいます。だって「書き手として自分も文章表現に長けていると感心する」って、どういうこと？　単に面白かった小説ってこと？　でも世間の基準で決めちゃダメ？　と首を傾げてしまうのです。松岡さんはさらっと書かれているので、たぶんこれくらいなら誰でもできるだろうと思われたのでしょうが。「参考になる本」を見つけるのも、こちらはひと苦労なんですよ！

と松岡さんに心の中でツッコミを入れかけたところで、思いました。

「えっ、「参考になる本」を集めた本を、私が出せばいいのでは!?」

小説の参考になりそうな小説ばかり集めた本。小説を書いている人にとって、そんなお手軽な資料集があれば、嬉しいことこの上ないのでは？　世の中に存在しないなら、作っちゃえばいいのでは？　そう思ったわけです。

しかし、ふと我に返るとその難しさに気づきます。短編アンソロジー集を出そうとしても、入れられる小説の数は限られている。逆に、小説から抜粋した名文集みたいなものを出しても、そこだけ読んで小説の参考になるかは謎。どうしたもんか、と悩みました。

そして考えたんですよ。

「そもそも、面白い小説ってどういう小説のことを言うのだろう？」

私はずっと小説を読むことが好きで生きてきました。しかし結局面白い小説って何なんだろう？　と考えると、意外と答えに詰まる。自分の好きな小説を思い浮かべてみるけれどー――キャラが好き、ページをめくる手がとまらない、テーマが面白い、文体がいい。いろんな理由を挙げてみるたび、でもそれが最大公約数ではないことに気づくんです。もちろんキャラも文体もテーマも大切なのですが。でもそれだけではない。それだけでもない。

本当に面白い小説の共通点。なにかないのかな、と考えたのです。

ひとつだけありました。

「自分が好きな場面を挙げられること」!

2. 本書の使い方

面白い小説の、共通点。それは、「自分が好きな場面を挙げられること」。

好きな小説のことを話す時、思わず自分がいちばんグッときた場面について語りたくなります。もちろんキャラも展開もテーマも大切だけど、それ以上に、「いちばん心を摑まれた場面」について喋りたくなるのです。あのキャラがこう言って、こういう展開になって、グッときたんだよね! と。

『カラマーゾフの兄弟』ならイワンが神について語るシーンだし、『ノルウェイの森』なら火事をふたりでベランダから見ているシーンだし、『キャッチャー・イン・ザ・ライ』

ならホールデンが将来の夢について語るシーンだ。『容疑者Xの献身』なら最後の咆哮(ほうこう)のシーンだし、『蹴りたい背中』なら最初に主人公が寂しさについて考えるシーンだし、『博士の愛した数式』なら博士が息子をルートと呼び始めるシーン。

どんな小説も、「グッとくるシーン」――つまりは「名場面」が積み重なって、面白い小説になっているんです。

でも、たまに映画やアニメや漫画などの「名場面集」は見るけれど。不思議と小説の「名場面」にスポットライトがあたることは少ないように見えます。なぜでしょう?「名台詞(めいぜりふ)」はよく見るのに。なぜみんな、小説の名場面には注目しないんでしょう?

名場面さえあれば、その小説はもう、勝ったも同然なのに!

そんなわけで本書では、小説を書く方の参考になるように、さまざまな小説の「名場面」を収録し、解説しています。

なぜそれが名場面なのか。なぜそれが読んでグッとくる場面なのか。同じ場面を書いても、平凡なシーンになる場合と、傑作シーンになる場合がある。なにがいったい違うのか。――そんな解説が、読者の心に「刺さる」物語を書きたい人のお役に立てたら嬉しいです。

あるいは創作でなくとも、あなたが小説を読む時、小説の感想を書く時に、「このシーンがよかった」と感じた理由を語るうえで本書を参考にしていただけたら、こんなに嬉しいことはありません。

また小説に限らない分野においても、エッセイや就活・転職のエントリーシート、ブログ等の文章を書く時。つまり自分のエピソードを書かなくてはならない際に、ぜひ小説という名の「プロの書いたエピソード」からその書き方を学んでください。小説は、プロがつくった名場面でできています。名場面とは、他人に刺さるエピソードのことです。だとすればエピソードの書き方はどんな文章にも使えるのです。創作以外の、文章発信においても。

「プロのつくるエピソードの宝石箱・小説から、良いエピソードを語るコツを学びたい」。そんな思惑もあり、私は本書を執筆しました。

この本は名場面の理論について書いた〈講義編〉と名場面の具体例を解説した〈名場面編〉の二部で構成されています。そして、どこから読んでもらっても構いません。

①講義から順番に読む

最初に私が「名場面の条件」について書いた〈講義編〉を載せました。この講義から、ページを順番にめくって読んでもらっても、もちろんＯＫです。

②書きたいお題から読む

自分の「書きたいお題」がある場合は、〈名場面編〉からそのお題を目次で選んで、該当する章だけ読んでみてください。

③読みたいお題から読む

自分好みの小説を知りたい！　と思った時は、〈名場面編〉から自分の読みたいお題を選んで読んでみてください。

私は「今こういう気分で、こういう小説が読みたいんだけど、何かいい小説はないかな〜」と思う時がよくあります。本書は〈名場面編〉で「お題」ごとに小説を紹介しているので、そんな読者の方の要望にも応えられる本にしたつもりです。

さらに本書に収録した作品は日本の書き手に絞りました。海外の書き手のものだと翻訳文体になり、やや創作の参考にするのにハードルが高いかもしれないと感じ、今回は私の渾身(こんしん)のおすすめ日本作家たちの作品から選出しました。日本の書き手は本当に多種多様ですから、きっとあなたの好みだったり参考にしたいと思えたりする人がいるはずです。

さて、最後にもう一度、読者として、書評家としての持論を書かせてください。

忘れられない場面さえあれば、小説として勝っているんです。

それはつまり、**忘れられない場面さえ書くことができたら、それは読者に「刺さる」小説になるのです。**

あなたが参考にしたい名場面が見つかりますように！

講義2

名場面の重要性

1. 書評を書きたくなる名場面

さて、ここからは名場面の理論について語らせてください。

私は普段、書評を書く仕事をしています。すると書評の連載などで「さて、今月はどの本を扱おうか」と考えるわけです。その時、書評する本をどうやって決めているかというと――もちろん面白かった本を選びたいのは大前提ですが、単純に面白さといってもいろんな尺度があります。「面白かった本」というだけで書評する本を選ぶのは意外と難しい。じゃあどうやって書評する本を決めるか？　何があったら「この本、書評を書きたい！」と思う決め手になるのか？

私の場合、それは、**「良かった場面」があるかどうか**だと思います。

たぶん映画や漫画でも同じでしょうが。小説もそうなんです。「あのシーン、良かったよね」と具体的に言いやすいと、すごく書評が書きやすい。あくまで書評家目線で申し訳

講義2
名場面の重要性

ないのですが、でも、ＳＮＳで本の感想を書く時も同じなんです。全体的に面白かった、なんか良かった、よりも。**「こういうシーンを書いてほしかった！」と思う、何か引っかかるものがある小説のほうが、感想を書きやすい。**取っ掛かりがあるシーンがあるからこそ感想を書きたい！　とモチベーションが上がるからです。

たとえば、有名な映画『風と共に去りぬ』。あれがなぜ名画だと言われやすいのか。それは他ならぬ名場面があるからではないでしょうか。もっとも有名なラストシーン。何もかもを失い、呆然とするスカーレット。しかし彼女が見つめるのは、夕日に照らされたタラの大地。空に赤く染まるスカーレットが呟くのは、この名台詞。

“Tomorrow is another day.”

「明日は明日の風が吹く」と訳されることも多い台詞です。このラストシーンのインパクトがとても大きいがゆえに、人々は『風と共に去りぬ』が良い映画だった！　と思いやすいのです。

もちろん小説にもこの台詞は登場します。しかし映画ほど「名場面」だと思われていない。それはたぶん、名場面の条件は台詞だけではないということの証でしょう。台詞やシチュエーションだけじゃ足りないのです。『風と共に去りぬ』の映画版は、もちろん台詞のタイミングも素敵だったけれど、それ以上にこの台詞に合わせた、画面作りや音楽が最高だった。それらの「演出」あってこそ、「ああ、名場面を見た」「なんて良い映画なんだ！」「誰かにこの感想を話したい」と思えるのではないでしょうか。あのシーン良かったよね、と言いたくなるように。『風と共に去りぬ』はＳＮＳのない時代に生まれた映画ですが、もし今の時代に発表されたとしてもやっぱりＳＮＳで話題になっていたのではないでしょうか。それは感想を言いたくなるから。もちろんＳＮＳだけじゃなくて、隣にいる人に「ねえ、あの映画観た？」と言いたくなるということも同じです。

ＳＮＳで誰でも本の感想を書ける時代。商業出版じゃなくても、二次創作やブログやさまざまな発表媒体がある現代です。どうせなら、たくさん感想をもらえそうな書き方を、目指してみるのはどうでしょうか。**感想を書きやすい作品は、結果的に口コミで広まりやすい**です。たくさんの人に広めてもらうために、名場面、挿入していきましょう。

さて、それでは「感想が書きやすい」名場面とは何なのでしょう？

2．名場面に不可欠なふたつの要素

感想が書きやすい名場面。

それは**①予想外の展開、②盛り上げ演出、のふたつの要素**があることです。つまり、

「非・予定調和なあらすじ」と「気分を盛り上げる演出」の双方があるかどうか、ということ。

まず、予想外の展開が来ることで、「おお、そう来たか〜！」と読者はグッとくるのです。もちろんキャラクターに合ってないとか、違和感があるとか、そういう場合はむしろ物語に入り込めない原因になってしまうので、匙加減が難しいところですが。しかし「おお、そう来たか〜！」と思えるような場面があること、つまり予定調和じゃない動きに、私たちはリアリティを感じるのです。

なぜなら予定調和じゃないということは、惹き付けられるということだから。

読者だってばかじゃありません。なんとなく次のシーンではこう来るんだろうな、という物語の予想というのは立てているものです。しかしその予想をさらっと裏切られた時、心臓にずきゅんと突き刺さるものがあります。**人間はたぶん予定調和なあらすじを想像する力があって、しかしそこを外されることで、印象的なシーンになる。**

たとえば先ほど例で挙げた『風と共に去りぬ』でいえば、最後の最後にスカーレットがすべて失うことになる、というあらすじのことですね。……ってこれもあんまり深く説明するとネタバレだと怒られそうですが。しかし映画を観て「えっ、こんだけ長い映画で、最後こんなシーンにする!?」と私が驚いたことだけはお伝えしておきましょう。どんでん返しというわけではなく、ただただ、予定調和ではないのです。なにか伏線回収されるのではなく、ただ、予想外。その予想外の展開こそが、あのラストシーンを名場面にしたのです。

そして名場面に不可欠なふたつめの要素は、気分を盛り上げる演出があること。

演出という言葉がそもそもぼんやりしてるよ、何を指すのかわかりづらいよ！ と言われるかもしれませんが、順を追って説明します。まずは『風と共に去りぬ』の先ほどのシーンを振り返ると「明日は明日の風が吹く」の名台詞とともに、スカーレットが赤く染まる夕焼けの空をバックに呟き、音楽が流れてきます。この**「どんな画のなかでその台詞を呟かせるか」とか「どんな音楽が流れてくるか」**が演出部分に当たります。映画だとわかりやすいのですが、物語はあらすじだけで成り立っているわけではないのです。あらすじの他にも、どんな場所でその台詞を言わせるのか、どんな盛り上げ方をするのかが、意外と重要だったりする。**あらすじにばっちりハマる演出が出てきた時、観客は「なんて良いシーンなんだ！」とグッとくるのです。**

小説の場合は、音楽も流せないし、映像もありません。それでも小説にも演出は存在します。そしてその演出如何(いかん)で感想の書きやすさも変われば、名場面になるかどうかも変わってくるのです。

さて、では小説の場合、具体的に「予想外の展開」と「気分を盛り上げる演出」とはどんなものなのでしょう？　詳しく説明しましょう。

3.『犬のかたちをしているもの』の名場面

私が名場面だと思う小説の一シーンをご紹介します。高瀬隼子さんの長編小説『犬のかたちをしているもの』の冒頭です。

次に引用するのは、小説の書き出しです。物語がここから始まるという、最初の場面。


おへそに溜（た）まった汗を人差し指でかき出す。ぴっ、てん、てん、と飛んで、トイレットペーパーに染み込んでいった。たまらなくあつい。

「何してんの」

開けたままにしていたドアの外に、郁也（いくや）が立っていた。手に持ったハサミを持ち上げて見せ、

「陰毛切ってた。明日、検診に行くから」

と答える。郁也は、ああ、と頷（うなず）く。

「でもなんで全裸?」

「あついから」

「確かに、あつい」

換気用の小窓からそよいでくる風はぬるくて、にごったにおいがした。雨の日の東京はくさい。今日は特別あついからかもしれない。雨が降ったり止(や)んだりを繰り返して、路上のゴミを溶かしたようなにおいがする。

郁也がドアの代わりみたいに立ち尽くしているので、余計に狭くて暑苦しい。頭の上に視線を感じる。あっち行かないのか、と思ったけど無視して処理を続ける。見たいなら、勝手に見ていればいい。こんなのが見たいんだったら。

伸びた部分を全体的に短くしていく。おへそに近い生え際の毛は根元から切って、毛の生えている範囲を縮小する。後は細かいところ。右脚を曲げて立て、便座の上で片脚だけの体操座りをすると、膣(ちつ)からおしりの穴の周りを縁取るように生えている短い毛を慎重に切っていった。

「結構ていねいに切るんだ」

「検査の時、絡むと嫌だから」

初めて検診に行った時は何の処理もしてなかったから、伸ばしっぱなしにしていた陰毛が超音波検査で使う棒に絡んで、ぶちぶちと、何本か引っこ抜けた感触があった。自動開脚機能がついた診察台に乗せられ、検査棒を膣に突っ込まれて出し入れされながら、男性医師にあそこが見えにくいとかあそこが影になってるとかぶつぶつ言われたことよりも、陰毛が抜け、それを残してきたことが気になった。

超音波検査の棒にくっついたままになっていたわたしの陰毛。次に使う人のために、看護師が除去したんだろうか。それを考えると、当たり前のことだし仕方がないことのはずなのに、無力感でいっぱいになった。それ以降、検診の前には陰毛を整えている。三か月に一度のペースで陰毛を整え、再発が分かったのは四年前だった。

（高瀬隼子『犬のかたちをしているもの』集英社文庫、4〜6ページ）

なんて美しい冒頭シーンなんだろう、とうっとりしますね。自分の本で引用させてもらってるなんてことすっかり忘れて読み入ってしまう。はあ、まごうことなく名場面。……と、ひとりごちてないで、早速この場面のどこが「予想外の展開」でどこが「気分を盛り上げる演出」か、分析してみましょう。

まずは、冒頭の「陰毛切ってた」。ここ、ちょっと予想外ですよね。ある女性が、トイレで汗を吹き出しながら、全裸で陰毛を切っていた。そんな生っぽいシーンが小説の冒頭に出てくる時点で、どきどきしてしまう。

何が良いって、陰毛を切るということの意外性なんですよ。たとえばこれが「汗とトイレと全裸」の描写だけだったら、もう少し性的な印象を与えます。もし彼女が腋毛でも剃っていたら、これから性的な場面でも始まるのかな？　と思ってしまうかも。でも陰毛を切る（しかも「剃る」でなくて「切る」！）のは、男性が介在する余地のない行為、つまり性的な行為ではないな、と私は感じます。陰毛を切るという表現を使っているだけで、ああこの小説は女性の生々しい身体の話でありながらエロい話ではないのだなとなんとなく理解できます。実際、彼女が陰毛を切っているのはなぜかといえば「検診」のためなんですから、おそらくなんらかの病気があるのです。

そして予想外の展開がやってきたところで、それを見せる演出部分に注目してみましょう。陰毛を切るシーンから始まっているかと思いきや、カメラのフォーカスはおへそに溜まった汗から、その汗がトイレットペーパーに飛んだ、という場面から始まっています。読者としては「かき出す」なんて言葉を使われると、ちょっと堕胎を彷彿とさせてどきりとしてしまうのですが。そしてトイレの換気用の窓の風はぬるく、にごったにおいがした、というようにおいにフォーカスがあたります。

わかりますか、**小説における演出とは「どこにどの順番でフォーカスを絞るか」という**

問題なのです。……って言っておきながら私は別に小説家ではないので、実際に小説を書く方々がどういう感覚で「よし、においの描写を入れよう」とか「最初は汗のシーンから始めよう」とか考えているのかは、まったくもって謎ですが。これはあくまで読者から見た時の話です。

読者からすると、小説において大切なのは展開だけではない。気分を盛り上げるための演出――どこをどの順番で描写するか――が重要です。

だって小説なんて、ひとりで気分を上げるために読むものじゃないですか！　気分が盛り上がらなかったら小説なんて読んでいても楽しくないのです！

そういう意味で、『犬のかたちをしているもの』の冒頭は、場所は汗をかいて全裸になるほど暑いトイレのなかで、そして換気用の窓からぬるい風が吹いてきて、にごったにおいがしてきたなんて演出、最高が過ぎます。ああこれから始まる物語は、決して爽やかな話でもほんわかした話でもない。都会のくさいにおいの風が生ぬるく漂ってくる物語なのだ、と予感させているのです。あらすじ本体には関係がなくとも、そこで描かれている**気分を盛り上げる場面設定、においや見た目や感触の描写、それこそが小説の本質**なのではないか、と私は思っています。

そして実際、郁也という男に、彼女はどうやら百パーセントの良好な感情を抱いているわけではなさそうですね。「見たいなら、勝手に見ていればいい。こんなのが見たいんだったら」という投げやりな言葉を唱えるくらいには、関係性が微妙なところなんでしょう。そして陰毛を切る描写は、あの不快で仕方ない婦人科の検診台の話に流れてゆきます。除去されたわたしの陰毛への、無力感。——ここまで主人公のプロフィールはほとんど描かれていないわりに、この冒頭部分だけでなんとなくこの話は女性性の生々しい気持ち悪さを感じさせる小説っぽいぞ、と理解させてくれます。そして気分が盛り上がる。心地悪さというものを私は小説で読むのが大好きだからです。

たぶん小説の間口は映画よりもずっと広い。ここでいう気分の盛り上がりというのは、わかりやすいカタルシスだけではない、感情の高まりすべてのことです。

居心地の悪さを感じさせる演出もまた、私にとっては「気分の盛り上がり」のひとつ。あるいは全然違う例ですが、これから主人公がいちゃいちゃするっぽい！　ラブシーンが来るっぽい！　という予感を感じさせる描写もまた、「気分の盛り上がり」のひとつでしょう。

予感って、気分の盛り上がりなしには生まれないものです。なんらかの実在する気分を、この小説はちゃんと描いてくれている——そう確信する時、読者は名場面を読んだ、という気になるのではないでしょうか。

講義3 NG場面を見てみよう

1．予想外とは何か？

講義2では「名場面に不可欠なふたつの要素」について解説しました。ふたつの要素、覚えていますか？　**①予想外の展開、②盛り上げ演出。この双方が必要なんですよ。**今回はここをもう少し掘り下げてみます。たとえば太宰治の短編を見てみましょうか。

太宰治という作家は、『斜陽』『人間失格』といった長編小説の書き手として知られていますが、一方で短編小説や中編小説も多大なる作品を残しています。太宰の短編に名作の多いこと！　太宰の短編や中編は本当にびっくりするくらい面白いんですよ。テイストも作品によって異なり、少女小説もあればミステリもあり、自分語りもあればエンタメに振り切ったものもある。短編・中編小説の書き手として日本でもっともすぐれているのは、実は太宰治ではないか？　と私はよく思います。今もって読みやすく、キャッチーで、なにより面白い。いわゆる「中二病」というイメージが強い太宰ですが、彼の短編や中編を読むと、エンターテイナーとして一流だったことがよくわかります。クリエイターの方にとっては、ＳＳもとい短編の書き手としてもっとも参考になるひとりではないでしょうか。

そんな太宰治の小説「断崖の錯覚」を今回は例に出しましょう。そんなに有名ではない作品ですが、短い文章で最大限の効果を引き出している、読みやすいエンタメ作品としてバランスの良い話だなあと私は思います。

「断崖の錯覚」の主人公は小説家志望の男性。大作家と呼ばれたくて仕方がなかったけれど、彼はどうしたって小説を書くことができなかった。そんな彼が温泉の名所にやってきて、とある高級旅館に宿泊することにしました。そこは尾崎紅葉が『金色夜叉（こんじきやしゃ）』を書いたことで有名な旅館。彼は小説なんて書けないのに、つい女中に「小説を書きに来た」と口を滑らせてしまいます。

「断崖の錯覚」は、当時にしてはかなり珍しい「ショートカットの少女」がヒロインであることが文学史上注目されるポイントです。大正時代から流行していたモガ＝今時の若くおしゃれな自立した女性の象徴として、断髪した少女が登場していた時代の物語なのです。しかしそんな御託は置いておいて、本作の書き出しは以下の通り。

その頃の私は、大作家になりたくて、大作家になるためには、たとえどのようなつらい修業でも、またどのような大きい犠牲でも、それを忍びおおせなくてはならぬと決心していた。大作家になるには、筆の修業よりも、人間としての修業をまずして置かなくてはかなうまい、と私は考えた。恋愛はもとより、ひとの細君を盗むことや、一夜で百円もの遊びをすることや、牢屋へはいることや、それから株を買って千円もうけたり、一万円損したりすることや、人を殺すことや、すべてどんな経験でもひとどおりはして置かねばいい作家になれぬものと信じていた。けれども生れつき臆病ではにかみやの私は、そのような経験をなにひとつ持たなかった。しようと決心はしていても、私にはとても出来ぬのだった。十銭のコーヒーを飲みつつ、喫茶店の少女をちらちら盗み見するのにさえ、私は決死の努力を払った。なにか、陰惨な世界を見たくて、隅田川（すみだがわ）を渡り、或る魔窟へ出掛けて行ったときなど、私は、その魔窟の二三丁てまえの小路で、もはや立ちすくんで了（しま）った。その世界から発散する臭気に窒息しかけたのである。私は、そのようなむだな試みを幾度となく繰り返し、その都度、失敗した。私は絶望した。私は大作家になる素質を持っていないのだと思った。ああ、しかし、そんな内気な臆病者こそ、恐ろしい犯罪者になれるのだった。

（太宰治「断崖の錯覚」『太宰治全集10』ちくま文庫、20～21ページ）

まずこの男はとにかく「大作家になりたい」男なんですよね。大作家になるために、彼はさまざまな努力をしようとした。しかしできない。なぜなら「生れつき臆病ではにかみや」だから。臆病者の彼は、女の子に声をかけることもできないし、悪いこともできない。そして大作家になる素質は持っていないと思った。でも、そんな「内気な臆病者こそ、恐ろしい犯罪者になれるのだった」と言う——なぜ犯罪者!? と思ったところで読者は「ん？ どういう話なんだこれ」と続きが気になってしまう。これが①予想外の展開、そのものです。

予想外というのは、別に突拍子もない展開を用意してほしいわけではないのです。わがままな読者の希望なんですが。突拍子もないわけじゃなくて、ただちょっと「ずらしてほしい」。**物語のセオリーに則りすぎた予定調和じゃない展開がほしい。こちらの予想を裏切ってほしい。しかしキャラクターに合わないことをしてほしいわけじゃない。**——読者って本当にわがままですよね。でも本音なんですよ。「おお、そこまで踏み込むのか」と驚かせてほしいんです。

2. 読者は常に予想する

たとえば「断崖の錯覚」の冒頭を、私が改悪してみました。もしこんな文章だったら、どう感じるでしょうか。

〈改悪例・NG場面〉
私は、そのようなむだな試みを幾度となく繰り返し、その都度、失敗した。私は絶望した。私は大作家になる素質を持っていないのだと思った。ああ、しかし、そんな内気な臆病者こそ、**良い小説は書ける**のだった。

小説の冒頭がこれだと……読者は「あっ、これはなかなか小説が書けない主人公が、大作家になるまでの作品なのね」と悟るのではないでしょうか。

この小説は「作家が作家の話を書いている」わけですから、ぶっちゃけ「太宰治が自分自身をモデルにして書いた私小説なのかな?」という予想を読者は立てているわけです。

読者は、常に物語の先を予想しながら読んでいるから。「こうなるのかなー」とぼんやり展開を想像しながら読んでいる。だからこそ太宰治もその作用を利用して、物語の最初は「その頃の私は、大作家になりたくて」と始めているんです。「その頃の私は」と言っている時点で、読者に「あ、これ太宰治の自叙伝なのかな?」「青春回顧録なのかな?」と予想させている。

しかしそこを裏切るのが、最初の「ああ、しかし、そんな内気な臆病者こそ、**恐ろしい犯罪者になれる**のだった」です。

展開を予想している読者は、油断しているのです。「あーはいはい、太宰の自叙伝ね（笑）」くらいに斜に構えている。そして油断というのは裏切ることができる最大のポイントなんですね。

これは太宰治の自叙伝かなと予想して＝油断して読んでいる読者は、「えっ、犯罪者？」と驚いてしまいます。それこそが太宰の思い通り。臆病で何者でもなかった私が、何かを体験して、作品を書き上げることができました（そして今は太宰治という大作家になれました）というあらすじを予想した読者としては、「これは予想とは全然違う話だぞ」とドキドキしてしまいます。そうしてまんまと次のページをめくってしまうのです。

太宰は、こういう「予想させておいて↓裏切る」という文章を書くのが上手い。この予想↓裏切るという展開を大々的に物語全体でやると、今流行りの「どんでん返し」になったりするのでしょうが、作品全体でやらずとも、太宰のようにこまめに一文一文レベルで出していってもいいのです。

さて、先ほどは「予想通り」のNG場面をつくってみましたが、**逆にここで裏切る文章**

があまりにも突拍子もないものでも、「うーん?」と首を捻ってしまいます。「予想を外れ過ぎて意味がわからない」NG場面も作ってみました。

〈改悪例・NG場面〉
私は、そのようなむだな試みを幾度となく繰り返し、その都度、失敗した。私は絶望した。私は大作家になる素質を持っていないのだと思った。ああ、しかし、そんな内気な臆病者こそ、**お金は稼げる**のだった。

……この作家、こんなこと言うキャラ!?　ていうか、いきなりお金の話?　なぜ?　と苦笑してしまいます。ていうかそもそもこの先の展開は面白くなさそうで、ぱたんと本を閉じてしまいそうですよね。だって主人公のキャラが変なんだもの。
太宰の書くように「恐ろしい犯罪者になれるのだった」と来るからこそ、主人公は内気で臆病で、だからこそ時には犯罪をおかしてしまうくらい突発的に爆発するタイプの人物なんだろうな、とキャラクターのことがわかるのです。彼がやったことはどんな犯罪なんだろう、と続きも気になる。うん、やっぱりここは「恐ろしい犯罪者になれるのだった」がいちばん続きが気になりますね。

余談ですが、私が小説を読んでいていちばん感動するのは「ああ、こんなところまで送り届けてくれるんだ」と思う時。つまり、**予想もしなかった遠い場所まで、物語が辿り着いてくれること**です。自分なんていうちっぽけな存在の予想を超えるものを、提示してくれる物語。それが感動に繋(つな)がると思うのです。だからこそ、物語には常に予定調和じゃないものを提示してほしい。そう切に願ってしまいます。

3. 盛り上がりとは何か？

しかし予想外の展開を登場させたところで、演出が上手くないとグッとこないのが小説。読者を裏切りつつ、読者に盛り上がってほしい！　おそらく太宰もそのつもりで、小説の舞台を「金色夜叉も書かれた旅館」に設定します。

> 私が出かけた温泉地は、むかし、尾崎紅葉の遊んだ土地で、ここの海岸が金色夜叉(こんじきやしゃ)という傑作の背景になった。私は、百花楼というその土地でいちばん上等の旅館に泊ることにきめた。むかし、尾崎紅葉もここへ泊ったそうで、彼の金色夜叉の原稿が、立派な額縁のなかにいれられて、帳場の長押(なげし)のうえにかかっていた。

講義3
NG場面を見てみよう

私の案内された部屋は、旅館のうちでも、いい方の部屋らしく、床には、大観(たいかん)の雀の軸がかけられていた。私の服装がものを言ったらしいのである。女中が部屋の南の障子(しょうじ)をあけて、私に景色を説明して呉(く)れた。

「あれが初島でございます。むこうにかすんで見えるのが房総の山々でございます。あれが伊豆山。あれが魚見崎。あれが真鶴崎。」

「あれはなんです。あのけむりの立っている島は。」私は海のまぶしい反射に顔をしかめながら、できるだけ大人びた口調で尋ねた。

「大島。」そう簡単に答えた。

「そうですか。景色のいいところですね。ここなら、おちついて小説が書けそうです。」言って了ってからはっと思った。恥かしさに顔を真赤にした。言い直そうかと思った。

「おや、そうですか。」若い女中は、大きい眼を光らせて私の顔を覗(のぞ)きこんだ。運わるく文学少女らしいのである。「お宮と貫一さんも、私たちの宿へお泊りになられたたんですって。」

私は、しかし、笑うどころではなかった。うっかり吐いた嘘のために、気の遠くなるほど思いなやんでいたのである。言葉を訂正することなど、死んでも恥かしくてできないのだった。私は夢中で呟いた。

「今月末が〆切なのです。いそがしいのです。」

私の運命がこのとき決した。いま考えても不思議なのであるが、なぜ私は、あのような要らないことを呟かねばならなかったのであろう。人間というものは、あわてればあわてるほど、へまなことしか言えないものなのだろうか。いや、それだけではない。私がその頃、どれほど作家にあこがれていたか、そのはかない渇望の念こそ、この疑問を解く重要な鍵なのではなかろうか。

ああ、あの間抜けた一言が、私に罪を犯させた。思い出すさえ恐ろしい殺人の罪を犯させた。しかも誰ひとりにも知られず、また、いまもって知られぬ殺人の罪を。

私は、その夜、番頭の持って来た宿帳に、ある新進作家の名前を記入した。年齢二十八歳。職業は著述。


（同前、22〜23ページ）

もう、盛り上げ演出、ばっちりだと思いませんか。呉服商の息子に生まれた主人公は、お金も持っていて、服のセンスもいい。そんな彼が向かったのは、尾崎紅葉の遊んだ温泉地。『金色夜叉』といえば、お宮と貫一の恋愛物語として有名な新聞小説です。ちなみに新聞紙上で庶民を熱狂させた小説なので、文学好きの若い女中が知っていてもおかしくないんですね。このあたりも設定に無理がなくて上手いなあと思います。たとえば夏目漱石がやってきたなんていうと、夏目漱石ってちょっとインテリすぎるので、雰囲気が異なるんですよね。

そして女中に小説家だと誤解された主人公は――本当は一作だって小説を書き上げたことはないのに――小説家だと嘘をつきます。主人公はこのあと「ある新進作家の名」を騙り、温泉旅館に宿泊することにしました。そして冒頭に「犯罪」と述べていたその内容が、「殺人」であることを明かすのです。

盛り上がる演出、このうえなし！　演出というのは「次にどうなるんだろう？」とドキドキさせる技術でもあります。「誰ひとりにも知られず、また、いまもって知られぬ殺人の罪を」という言葉から、いまだに殺人が誰にも知られていないことがわかる。こうして謎がまたひとつちりばめられるのです。このあたりはちょっと殺人を盛り上げすぎ、引っ張りすぎな気もしますが、そうはいっても続きが気になってしまう。

小説の舞台設定をどこにするか、いつその情報を読者に伝えるか、意外と重要な点です。読者も人間ですし、いくらテーマやキャラクターが好みであっても、「なんか面白そう！」とわくわくする感情がなければ読み進められない……。「なんか面白そう！」というわくわくを演出してほしいのです。
これがたとえば以下のような舞台だったら、ＮＧだと思いませんか？　ぜひ改悪前と読み比べてみてください。

〈改悪例・ＮＧ場面〉
私が出かけた**居酒屋**は、むかし、**夏目漱石も来店した**という土地で、**ここでの会話をきっかけに『門』が綴られたらしい。**私は、**その店でいちばん上等のおでんを食べる**ことにきめた。むかし、**夏目漱石もこれを食べた**そうで、彼の『門』の原稿が、立派な額縁のなかにいれられて、壁のうえにかかっていた。
私の案内された**個室は、居酒屋のうちでも、いい方の部屋**らしく、床には、大観の雀の軸がかけられていた。私の服装がものを言ったらしいのである。女中が部屋の南の障子をあけて、私に景色を説明して呉れた。

ちょっとおふざけが過ぎましたが。でもおでんを食べて殺人が起こるようでは、小説としてわくわくしませんよね……。居酒屋で殺人事件が起こる太宰の小説も、見てみたいっちゃ見てみたいですけれど。

また演出というのは舞台設定だけじゃありません。文章で雰囲気を盛り上げるっていうのも、重要きわまりない要素のひとつです。次のふたつの文章を読み比べてみてください。文章の順番を入れ替えてあります。

〈改悪前・OK場面〉

「今月末が〆切（しめきり）なのです。いそがしいのです。」

私の運命がこのとき決した。いま考えても不思議なのであるが、なぜ私は、あのような要らないことを呟かねばならなかったのであろう。人間というものは、あわてればあわてるほど、へまなことしか言えないものなのだろうか。いや、それだけではない。私がその頃、どれほど作家にあこがれていたか、そのはかない渇望の念こそ、この疑問を解く重要な鍵なのではなかろうか。

ああ、あの間抜けた一言が、私に罪を犯させた。思い出すさえ恐ろしい殺人の罪を犯させた。しかも誰ひとりにも知られず、また、いまもって知られぬ殺人の罪を。

私は、その夜、番頭の持って来た宿帳に、ある新進作家の名前を記入した。年齢二十八歳。職業は著述。

〈改悪例・NG場面〉

「今月末が〆切なのです。いそがしいのです。」

ああ、誰ひとりにも知られず、また、いまもって知られぬ、思い出すさえ恐ろしい殺人の罪を、あの間抜けた一言が、私に罪を犯させた。

私は、その夜、番頭の持って来た宿帳に、ある新進作家の名前を記入した。年齢二十八歳。職業は著述。

私の運命がこのとき決した。いま考えても不思議なのであるが、なぜ私は、あのような要らないことを呟かねばならなかったのであろう。人間というものは、あわてればあわてるほど、へまなことしか言えないものなのだろうか。いや、それだけではない。私がその頃、どれほど作家にあこがれていたか、そのはかない渇望の念こそ、この疑問を解く重要な鍵なのではなかろうか。


読み比べてみると、改悪例もそんなに悪くないじゃん、と思うかもしれませんが。それでもやっぱり改悪前の原文のほうが「殺人の罪」という言葉を際立たせています。こっちのほうが、殺人という犯罪をおかしたのだ！　と読者に真実を打ち明けることの盛り上がり度が高い。なぜ盛り上がるかといえば、やっぱり「運命」や「罪」といった大仰な言葉で振りかぶっておいたうえで、最後の最後に「殺人の罪」という種明かしをしたからです。

種明かしをするにしても、ただするんじゃなくて、**「来るぞ、来るぞ、来たあ！」と読者がどきどきするような振りかぶりがあるといい。**名探偵が「今から謎解きをします」と言わずに謎解きを始めてしまっては、読者は「え？ 今謎解き始まったの？」ときょろきょろしてしまう。それよりも、ちゃんと人差し指を立て、「犯人は実は……」と指を差してから謎解きをしたほうが、読者も気分が盛り上がります。

あんまり気分を盛り立てすぎてもダサいかもしれませんが、意外とこれくらいケレン味たっぷりに演出してくれたほうが、読者としては小説を読んでいる気分が盛り上がるってもんです！

講義 4 名場面を書くために必要なこと

1．小説を書くには、小説を分析しよう

さて、ここまで読んだあなたは、「名場面に必要なのは、予定調和じゃない展開と盛り上げる演出だ」というのはなんとなく理解したけれど……それを書くのが難しいんじゃないか、と思われるかもしれません。

もちろん私は小説家じゃないので、たいしたことは言えません。ていうか名場面を書く方法を知ってたら今ごろ私が小説家になっています。なので私ではなく、ここは実際の小説家の方が書いた小説指南書に登場してもらいましょう。

小説家・三浦しをん先生の『マナーはいらない　小説の書きかた講座』。小説の書き方を直木賞受賞作家が懇切丁寧に教えてくれているこの本は、小説を書く方も書かない方も面白く読めてしまう一冊。なかでも注目すべきポイントだけ引用しましょう。

「だれかに読んでもらって、アドバイスをもらったほうがいいのかな」と迷っておられるかたは多いと、みなさまからの質問を拝読して感じました。

正直に申しましょう。アドバイスなど無用！

……この本の主旨が根底から崩れることを言ってしまった。しかし、本心です。理由を述べます。

まず第一に、自分で自分の書いたものを（万全には無理でも、ある程度）ジャッジできないひとは、小説を書くことにあまり向いていません。

では、どうしたらジャッジできるようになるのかといえば、これはやはり、小説を読んできた経験によって培われる、と言えると思います（例外的に、小説を読んでこなかったけど書けるし、自作をちゃんとジャッジできる、という天才肌のひともいると思いますが、私はそういうひとにお目にかかったことありません）。

「この小説、好きだなあ」「これが小説ってもんなのか、すごいなあ」と思えるような理想像と、読書を通して出会っているからこそ、「自分の書いたものには、なにがたりないのか」「どうしたら、斬新だったりおもしろかったりする小説を、自分なりに工夫して書けるのか」を、判断し実践していくことができるのです。

あせることはないので、「好きだな」「楽しいな」と感じる小説を、思うぞんぶん味わってください（小説にかぎらず、創作物全般で、ご自分の性に合うものでいいのです）。ときに、「どうして私はこれが好きなんだろう」「この小説の楽しさは、どこから醸しだされているものなんだろう」と、分析してみることも大切です。「分析」といっても、むずかしくとらえる必要はありません。「考えてみる」「言語化してみる」というぐらいの意味です。

（三浦しをん『マナーはいらない　小説の書きかた講座』集英社、168～169ページ）

もう本書なんか投げ出して『マナーはいらない』を読んだほうがいいのでは、と思う読者の方々がたくさんいらっしゃりそうで心配になるほど、いい文章。いいアドバイス。感動してしまいますが、要は三浦しをんさんは「いい小説を書くには、自作をジャッジする選球眼を持つために、好みの小説やすごい小説を読んで、分析してみましょう」とおっしゃっている。

ちなみに小説指南書といえば、本書の冒頭に引用した『小説家になって億を稼ごう』の松岡先生は「小説をたくさん読まなくても小説家にはなれる」とおっしゃっていました。三浦先生と言っていること真逆？　と一瞬身構えてしまうのですが、しかし松岡先生ですら「自分の好きな小説を見つけ、それを参考にせよ」と述べているので、結局は**「好きな小説を見つけろ」はみんな共通して言っている**のです。そして**その小説を分析し、自分の小説に活かせ**、と。

が、それが案外難しい。小説の分析――自分はこの小説のどこが好きなのか？　を分析すること――って、国語の勉強でも案外やらないし、今まで使ったことのない脳みそを使うことも多いです。

そこで本書の登場です。

私もそうですが、他人の分析を読んでいると、自分も分析したくなります。ただ小説を読むのではなく、その小説の面白さを言語化することの快楽を、ぜひあなたにも味わってほしい。だからこそ本書でぜひ小説の名場面解説を読んでみてください。きっとあなたも分析してみたくなるはず！

2. 川端康成だって、名場面のおかげで読まれている

さて、本書を読んでくれている方のなかには「自分で創作をしたい」方も多いと思うのですが。あなたがもしそうだとしたら、一読者として、言わせてください。

私が読者として、名場面があったらどれだけ嬉しいか、ということを……。さすがに「名場面の重要性」についてはもうダメ押しの域ですが、何度めかの念押しをさせてください。

たとえば誰もが知る小説の名場面、『雪国』の冒頭。こんなに有名な書き出しもないのでは？　と思うほどに有名な場面です。

国境の長いトンネルを抜けると雪国であった。夜の底が白くなった。信号所に汽車が止まった。

向側の座席から娘が立って来て、島村の前のガラス窓を落した。雪の冷気が流れこんだ。娘は窓いっぱいに乗り出して、遠くへ叫ぶように、

「駅長さあん、駅長さあん」

明りをさげてゆっくり雪を踏んで来た男は、襟巻で鼻の上まで包み、耳に帽子の毛皮を垂れていた。

もうそんな寒さかと島村は外を眺めると、鉄道の官舎らしいバラックが山裾に寒々と散らばっているだけで、雪の色はそこまで行かぬうちに闇に呑まれていた。

「駅長さん、私です、御機嫌よろしゅうございます」

「ああ、葉子さんじゃないか。お帰りかい。また寒くなったよ」

「弟が今度こちらに勤めさせていただいておりますのですってね。お世話さまですわ」

「こんなところ、今に寂しくて参るだろうよ。若いのに可哀想だな」

「ほんの子供ですから、駅長さんからよく教えてやっていただいて、よろしくお願いいたしますわ」

「よろしい。元気で働いてるよ。これからいそがしくなる。去年は大雪だったよ。よく雪崩れてね、汽車が立往生するんで、村も焚出しがいそがしかったよ」

「駅長さんずいぶん厚着に見えますわ。弟の手紙には、まだチョッキも着ていないようなことを書いてありましたけれど」

「私は着物を四枚重ねだ。若い者は寒いと酒ばかり飲んでいるよ。それでごろごろあすこにぶっ倒れてるのさ、風邪をひいてね」

駅長は宿舎の方へ手の明りを振り向けた。


（川端康成『雪国』角川文庫、7〜8ページ）

この場面の何がすごいって、小説の寿命を延ばしたことです。

『雪国』はどんな話か知らないけれど、「国境の長いトンネルを抜けると雪国であった」という書き出しは知っている、という人は多いのではないでしょうか？　実は温泉地に生きる芸者と妻子持ちの男性が恋愛する物語なのです。講義3の太宰に続き、この時代の文豪は温泉地の女性が好きですね。

ちなみにこの場面も、私はやっぱり「予想外の展開」と「盛り上げ演出」の双方が上手すぎる、と思ったりします。まずは「予想外の展開」ですが、普通、国境の長いトンネルを抜けると雪国で、夜の底が白くなって、汽車が止まったら——汽車から降りた主人公が、その雪のなかを歩くと思いませんか？　そしてその雪の向こうにいるのは、美しい少女＝ヒロイン。そんな光景を妄想してしまいます。ま、ありがちな想像ですけれど。でも『雪国』はそんな安易な展開ではない。川端康成は主人公の席の「ガラス窓」を女性に開けさせるんです。そして流れ込んでくるのは、雪の冷気。暖かい汽車のなかに、ぶわっと冷たい外気が入り込む。しかも、娘さんがガラス窓を開けたことで。こんなにも「雪国に着いた汽車」の描写として適切なもの、あるでしょうか？　微(かす)かに予想外の展開ですが、読者の予想外に感じる冷気は、主人公が感じた雪の冷気そのもののようです。

そして雪国の娘さんを描写するのに、たとえば「雪の中に紛れる白い肌」や「雪に映える顔」ではなくて。寒くてきっと息も白くなるなかで、遠くへ叫ぶように「駅長さあん」

と呼んだ声、ってものすごい盛り上げ演出。

続く会話の内容は、チョッキや焚出しや雪崩といった単語が飛び交う、雪国で暮らす人々のものです。ここで私たちは、前情報がなくともこの小説が「都会＝雪国の外側から来た主人公と、田舎＝雪国の内側に暮らす人々の交流」の物語であることを察するんですね。

やっぱり川端康成の書く文章って完璧だなと感じ入ってしまいますが、そんなノーベル賞作家・川端康成作品ですら、この『雪国』冒頭名場面があったからこそ、現代の私たちにその魅力が伝わってきたのです。この名場面がなければ、はたして今の若い人のどれくらいが川端康成という小説家のことを知っていたでしょう?

ほらね、名場面って、思いのほか大切なんです。

小説のことを喋りたい、小説の面白さをたくさん伝えたいと思っている私も、やっぱり**みんなにとってわかりやすい名場面があると、「ほら、あの場面いいよね」って言いやすい**です。あなたが何かを書く時、ぜひ名場面を仕込んでください。私たち読者は、きっとそれを拾いに行きます。そしてそれについて語ります。小説のなかにきらりと光る名場面を見つけることを、私たち読者は、至上の喜びとしているんですよ。ほんとに。

名場面編

第1章

運命のふたり？

――さまざまな関係を書く――

ライバル

そのふたりにしか理解できないことを書く

『スロウハイツの神様』辻村深月

さて、この章以降では具体的に、友達、恋人、ライバル、家族など、さまざまな関係が描かれた名場面の分析をおこないたい。

人間がふたりいたとしても、その描写はさまざま。同じ男女ふたりがいたとしても、家族としてふたりがいるのと、友達としてふたりがいるのとでは、小説の描き方はまったく違ったものになる。

この章は言うなれば「関係性辞典」を読むつもりで、楽しんでいただけたらと思う。

今回紹介するのは「ライバル」関係にまつわる名場面。

ああ、ライバル。その言葉を聞くだけで、たくさん名場面が思い浮かぶ。

小説のなかで、「才能同士の拮抗（きっこう）」というテーマはしばしば登場する。音楽家、アスリート、作家、俳優。自分たちの才能を競う主人公たち。

私は、フィクションのなかでいちばんドラマチックな関係性は、ライバル関係だと思っている。

なぜなら、ライバルって、現実にそうそう存在しないから！

スポーツ、芸術、仕事、趣味、フィールドはなんでもいい。自分がなにかを目指す時、その傍に、同じゴールを目指す人がいれば。その人は、ライバルになるのだろうか？

そう、同じゴールを目指しているだけでは、ライバルにならない。そうじゃなくて、**「ふたりは対等ですよ」と作品内で表現することが必要になってくる**のだ。

ではなにがふたりを対等にさせるのか？　努力の量？　姿勢？　思想の深さ？　たぶん違う。

対等さとは、「相手のことを理解できているかどうか」という点に存在するのである。

理解。つまり、**相手のことを理解できているのは自分だけだ、という一点において、ふたりのライバル関係は存在する。**

他人への理解は、その他人と同じレベルにいないとできない。相手のことが見えていなくて、自分のことしか見えていない場合、理解は存在しないからだ。

たとえば有名な映画の『アマデウス』では、モーツァルトとサリエリというふたりの作曲家が登場する。

稀代の天才・モーツァルトの才能に、自分にも才能があると思っていたサリエリは嫉妬する。しかし面白いのが、サリエリは「モーツァルトに自分はかなわない」と嫉妬しつつ、その場でモーツァルトの才能を本当に理解できているのは、サリエリだけだというところだ。

たしかに作曲の才能は対等ではない。そういう意味で、サリエリはモーツァルトと対等の存在ではないと映るかもしれない。しかし、サリエリはモーツァルトの才能を理解できる。モーツァルトはサリエリが自分と同じように音楽に身をささげていることを知っている。その**「理解」という一点において、他の登場人物とは違う、モーツァルト・サリエリの関係の差異化がなされている。**他の登場人物は、モーツァルトやサリエリが何に苦しんでいるのか、よくわかっていないのだ。

才能を扱う物語において、対等な関係——つまりは**ライバル的なふたりを描きたかったら、「理解」を描くのがいちばんはやい。**

自分に才能があるからこそ、同じくらい才能がある人間の、やっていることが、やりたいことが、わかるからだ。

さて今回紹介するのは、そんな「理解」を前提としたライバル関係から、一歩踏み込んだ関係。

ライバルになりたいけど、なれない。そんな残酷な現実を突きつける場面だ。

辻村深月の小説『スロウハイツの神様』は、小説家や脚本家、漫画家など若きクリエイター（と、クリエイターの卵）たちが集まったシェアハウスを舞台にした作品だ。

その様子はさながらトキワ荘。管理人は、若いながらに売れっ子脚本家になった環。

環が声をかけ、ともに暮らすことになった若きクリエイター六人。環のようにすでにプロとして活躍している者もいれば、まだ芽が出ていないクリエイターの卵もいる。

六人はお互い刺激を受けながら、一緒に暮らしていた。しかしある日、転機が訪れる。

環の学生時代からの友人であるエンヤが、ひとりだけ家を出ることを決めたのだ。

エンヤは漫画家志望なのだが、環のようにプロデビューしているわけではない。

俺は絶対君に勝つ。エンヤはそう言って家を出て行く。

そんな彼に対し、環ははっきりと、否定の色を浮かべる。エンヤの声をきこうとせず、環はただ、怒っていた。その環の怒りが、同じくシェアハウスのメンバーである狩野（かのう）に吐露されるのが以下の場面だ。

「エンヤは私から、何を奪おうとしてるの」

吐息と一緒に吐き出した声は、痛みを伴っていた。続けて言う。一瞬前の虚ろな無表情が嘘のように、その顔がもうはっきりと歪んでいた。

「気が合って、話ができて、私の脚本を読んでくれる友達ができて、私は嬉しかったの。あいつの事情なんか知らないよ。それでいいじゃない。なんで、ダメなの。どうして私を切ろうとするの」

「エンヤは環が好きなんだよ」

それは多分、恋愛ととても近くて、けれど、決定的に違う感情なのだろうと狩野は想像している。その濃度は多分、どちらが濃いということがない。この先もきっと、エンヤは自分の恋人を環に引き合わせることは絶対にないだろう。

「環を切ろうとしてるわけじゃ絶対にないよ。帰ってきたいと思って、対等になりたいからここを出たんだよ」

「いいことを教えてあげる、狩野。自分の言った言葉っていうのは、全部自分に返ってくる。返ってきて、未来の自分を縛る。声は、呪いになるんだよ」

環は首を振る。

「エンヤは言っちゃったよね。私に勝つって。それは無理だ。だからもう、ここには絶対帰ってこられない」

狩野は静かに息を止めた。

彼女はごく自明の理を語るようにそこに座っていた。今、狩野が言葉を止めること、違和感を持つことなどまるで想定していない顔つきだった。

「誰かと対等になりたいなんて、声に出して言っちゃいけないの。美学と意地をモチベーションにして描きたいならそれは絶対だよ。私は口が裂けても言わない。言った瞬間から、自分の身勝手な事情に相手を巻き込むことになる。まして、それを見せるなんてなおのことダメだ。かっこ悪い」

かっこ悪い。

声の端々から、環がエンヤに持つ憤り（いきどお）りの根元が見えてくる。彼女は、自分一人のストーリーの中にいる弱者を弱者のままにしておかない。

（辻村深月『スロウハイツの神様　上』講談社文庫、２３１～２３３ページ）

一般に「ライバルになれないふたり」を描くなら、敗北の場面を描けばいいと思うかもしれない。

努力に圧倒されて負けたと思う。試合をして負ける。あるいは作品を見て、圧倒的に敗北を感じる。そして、僕はあいつに勝てない、まだライバルだなんて言えない、対等ではない、と感じる……。

しかしこれらの場面は、本当の意味では、ライバルになる可能性をまだ秘めている。

なぜなら努力が追いついたら、対等になることができるからだ。実際、「最初は努力が全然足りてなくて追いつけなかったが、徐々にライバルと対等になっていった」ストーリーはごまんと見る。

では、本当の意味でライバルになれないふたりは、存在するのか？

その答えが『スロウハイツの神様』にある。

ここで描かれているのは、「ライバルになれると思っているエンヤと、ライバルになれないと思っている環」のすれ違いだ。

エンヤはまだプロの漫画家になれていない。だからクオリティの高い環の脚本を読むと、悔しい。ちゃんと環に勝つまで、このシェアハウスを出るのだ、と言う。

しかしそんなエンヤに環は憤る。

「誰かと対等になりたいなんて、声に出して言っちゃいけないの。美学と意地をモチベーションにして描きたいならそれは絶対だよ。私は口が裂けても言わない。言った瞬間から、自分の身勝手な事情に相手を巻き込むことになる。まして、それを見せるなんてなおのことダメだ。かっこ悪い」

ふたりがライバルになれないのは、エンヤが環への理解を、放棄しているからだ。環は、彼が自分しか見えていないことに怒っている。エンヤは環との関係を勝ち負けでしか見ていない。そして自分を弱者の立場に置く。それを環に伝える。

――伝えた瞬間に、環は勝ってて、エンヤは負けてる関係でしかいられなくなったのだ。

対等つまりライバルという関係は、お互いへの理解なしには存在しない。

自分を勝手に敗者に置き、それを相手に伝えた時点で、相手への理解は存在しない。だから環は怒る。「そんなことを言ったら、ライバルになれないって自分で言ってるようなもんだよ」と。何を言ってるんだお前は、と。

相手のことを理解しようとせず、勝手に「自分より上の存在」と仕立て上げた時、それはどんなに実力で対等になったとしても、関係性として対等になることはない。

でも、自分しか見えていないエンヤには、それがわからない。

『スロウハイツの神様』が描いたクリエイター同士の葛藤は、そんな残酷な、理解のなさ、だったのだ。


ライバル関係になれないふたりを描きたかったら、「相手をちゃんと見ようとしない、理解しようとしない様子」を描けばいい。

反対に、**対等なライバル関係を描きたかったら、「他の誰にも理解されない箇所を、お互いだけが理解している場面」を描くといい。**


創作でも、芸術でも、スポーツでも、仕事でも。

たくさんのライバル関係が描かれてきたけれど、その根本には、理解があった。

どの分野においても、才能は孤独で、だからこそ才能がある者同士にしか理解できないことは、たくさん存在するからだ。

友情

「裏の意味」のある台詞で関係性を示す

『最愛の子ども』松浦理英子

「友情」という言葉は、それがどこからどこまでの関係性や感情を指すのか、わからなくなってくる。

ふつうに考えたら、恋愛ではなく家族でもない関係性は、友情？

でも限りなく恋愛に似た友情もある。職場の同僚や上司との関係は、どれだけ深くても友情といえないような気もする。最近流行りの「推し」に対する感情は、あれは友情ではないよね？　友情と言っても、いったいそれが何なのか、考えれば考えるほど、わからなくなる。

だからこそ小説で、あるふたりの「友情」と言えそうな、言えなそうな関係性が描かれた時。

それをなんと名付けるのかはわからないけれど、私はグッときてしまう。

次に紹介するのは、松浦理英子の『最愛の子ども』という小説に登場する、女の子ふたりの関係性が表現された場面。

主人公は、とある高校に通う女子高生たち。教室で起こっている人間関係を、彼女たちはお互いじっと観察し合う。

この小説の面白いところは、物語の語り手が、教室のなかにいる傍観者たちであること。つまりクラスメイトが眺めた風景として、この物語は描かれる。

日夏（ひなつ）、真汐（ましお）、空穂（うつほ）という三人が主に主役となり、クラスメイトはその様子を描写する。その様子が一冊の小説となっているのだ。

三人はそれぞれ、クラスメイトから〈パパ〉〈ママ〉〈王子様〉という役を当てられる。まるでひとつの家庭をつくるようにして、三人の関係は紡がれてゆくのだ。

今ふうに言えばその関係は「百合」と呼ばれるのかもしれないけれど、「友情」と呼ぶには近すぎる気がしてしまう。三人は、彼女たちにしかない何かを共有していることが、小説を読むだけで伝わってくる。しかし明確に性的な関係を持っているわけでもない。恋愛でもただのクラスメイトでもない、十代の少女たちの肌の近しさや、不安や歓びや、言葉にならない機微を共有する感覚が、そこでは存分に描かれている。

教室で家族のような関係を共有する三人も、教室を出ると、それぞれに実際の家族が存在する。いくら聡明で自立した精神を持っていたとしても、彼女たちは完璧に自立できるわけではない。

事情があって、三人はとうとう別れることになる。引用するのは、日夏の旅立ちまで残り日数が少なくなった場面だ。

わたしたちはそこでつい、日夏が「わたしは真汐を愛しているよ」という類のことを告げるのを期待してしまったのだけれど、もちろん日夏が人前でそんな甘々な科白を口にするわけがなかった。わたしたちの美意識からしても、そんな安っぽい場面をこの物語の中に挿し入れたくはない。ただ、欲望本位でいえば、〈夫婦〉の別れの前に日夏の真汐への、あるいはお互いへの愛情表明を耳にしてみたかった。

欲望を放棄し、わたしたちは送別会らしく日夏に質問した。

「ロンドンで勉強以外に何をしたい？」

「アイリッシュ・パブに行ってアイリッシュ・コーヒー飲みたい」

「十八歳でパブに入れるの？」

「向こうは大丈夫みたい」

「クラブに踊りに行ったりする？」

「行ってもいいね」

「日夏は踊れるもんね」

「でも自己流だから」

するとこ真汐が言った。

「自己流でいてほしいな。既成のステップなんて憶えないで」

日夏は真汐にだけ向ける例の優しい目をして応えた。

「憶えられないよ、きっと。わたしも器用じゃないから」

（松浦理英子『最愛の子ども』文春文庫、２２７〜２２８ページ）


「わたしたち」とは、この物語の語り手であるクラスメイトたちのことだ。夫婦のように仲のいい日夏と真汐に対して、彼女たちはつい、特別でドラマチックな別れを期待してしまう。物語のように、甘い台詞が出てくることを欲望する。しかしそんなクラスメイトの思惑とは裏腹に、日夏と真汐は、今までと同じようにふるまう。

そして諦めたクラスメイトが適当な質問を投げかけた時、真汐がぽろりと言葉をこぼす。

「自己流でいてほしいな」と。

その時、日夏が真汐に特別な目をして返答したのを、クラスメイトは見逃さない。

日夏は「憶えられないよ、きっと」と答えたのである。

……こんなさりげない台詞に、彼女たちの特別な関係性が表現されている。

真汐は、自身の頑固な性格に自分でも手を焼いている。それに比べると日夏は柔軟で、包容力もある。真汐も日夏のそのような性格にすくわれている。一方で、真汐は日夏の日夏らしい頑固さで自分らしさを抱えているところも愛しているのだった。つまり、日夏の自分らしさと柔軟性を両立しているところが、真汐の好きな日夏であり、日夏の日夏らしさなのだ。

だからこそ、「自己流でいてほしいな」という言葉には、真汐の日夏に対する切実な願望が滲(にじ)み出る。きっとこれから自分たちは大人になって、そうなるともっと柔軟性が必要になり、「ダンスを自己流で踊る」なんてことはしなくなるのかもしれない。日夏は器用だから、世間の型に自らをさらりとあてはめてしまえるのかもしれない。

しかし今は、それでも自己流でいてほしい、と願う。そんな切実な感情が、真汐のひとことから滲み出ている。

そして日夏もそんな真汐の感情を知っているみたいに、「憶えられないよ」「わたしも器用じゃないから」と答える。きっと本当にダンスのステップを覚えられないというよりは、自分らしさをこれからも失わずにいられるか、自分でもわからないからこそ、日夏はこう答えているのだ。

さりげない会話だが、真汐と日夏の関係性が、ぎゅうっと詰め込まれた箇所だ。

こんなふうに、**友情のような恋愛のような、固有の深い関係性を描く時、ふたりの交わす言葉がなにより大切になってくる。**

他人には意味がわからないかもしれない、くらいの塩梅でもいい。とにかく、そのふたりにしかわからない言葉を交わしていること。**表面的な意味の何倍も深い「裏の意味」を隠した言葉を、台詞にして発してほしい。**

そういった台詞があってはじめて、読者は、「ああこのふたりには、このふたりにしかわからない感情を共有しているんだ」とわかるから。

『最愛の子ども』は、ふたりにしかわからない関係性を綴った傑作だ。

この世にはさまざまな女の子同士を描いた小説があるが、私は『最愛の子ども』くらい、共感しながら、それでいて憧れてしまう「女の子同士」の小説はない、と思っている。

小説のなかにしかない世界でありながら、現実以上に現実のことを教えてくれる世界。それが両立している小説だから、「読んでよかった!」と思えるのである。

最後に、日夏と離れた真汐の言葉を紹介して終わろう。

まだまだ心の鍛え方が足りない、と反省した後、だけど、と真汐は考える。心を鍛えるだけでは幸せに生きて行くのに充分ではないのだ。いったいどれだけ賢ければ波風立てずに生きて行けるのだろう。どれだけ美しければ世間にだいじにされるのだろう。どれだけまっすぐに育てばすこやかな性欲が宿るのだろう。どれだけ性格がよければ今のわたしが全く愛せない人たちを愛せるのだろう。気が遠くなる。楽しいことばかりではない道が目の前に果てしなく続いている。
真汐は再び窓をあけ、再び冷気に頬を打たれる。そして思い出したのは、中等部の時こわもての教師への真汐の無駄な反抗を止めようとした日夏に頬を打たれたことだ。今となっては痛みも含めて甘酸っぱい記憶以外の何ものでもない。

（同前、２３０〜２３１ページ）

私はこの場面くらい共感した文章を他に知らない。いまだに折に触れ、読み返す。そしてそのたび「ほんとうに、気が遠くなるよな」と思う。
しかし同時に、気が遠くなりながらも、それでも真汐と日夏の関係が、自分を支えていることを実感する。

小説というフィクションに描かれたふたりの関係ではあるが、それでも、現実の私を彼女たちはたしかに支えてくれている。真汐と日夏みたいな女の子がたしかに存在してくれていたことが、私にとって、なにより支えなのだ。

このシーンが私にとって、小説の名場面が現実の読者を支えているという、証しなのである。

恋愛未満

わかる部分・わからない部分を書き分ける

『純情エレジー』豊島ミホ

世の中に「えっ、いつこの人たちは惹かれあったんだろう」と首を傾げる物語は、存外多く存在する。

ふたりが恋人関係になるのはいいのだが、その手前の、出会いから恋愛感情を持つに至るまでの過程が一ミリも描かれていない。いや描かれていないだけならいいのだが、いつ恋に落ちたのか考えてみてもよくわからない。「一目惚れか⁉　一目惚れなのか⁉」と邪推するのだが、たいていそういう場合、ふたりはすぐに恋人になっている。「お互い一目惚れ」なんてこの世にあり得るのだろうか。いったいなぜこのふたりは恋人になったのか、とクエスチョンマークが五個くらい頭に浮かぶ。最近だと、ジブリ映画『風立ちぬ』は、私にとって「なぜ惹かれあったのか描かれていない」ストーリーの代表例だった。

もちろんそういう物語のほとんどが恋愛に主軸を置いていないため、恋に落ちる過程を割愛しているだけなのはわかる。しかし、それでも私は、せめて**なぜお互いが惹かれあっているのか、その理由だけでもそこに描かれていてほしい。**言葉にしなくてもいいから、必然性を持たせてほしいのだ。

そんなわけで、次に紹介するのは「恋愛未満」の関係性の描写。

決定的に誰かを好きになったその瞬間をはっきり描くのはダサいかもしれないが。読者に、ほんのりと「あ、このふたりって恋人になるんだろうな」と予感させるくらいは、してほしい。そして予感させる理由をエピソードとして盛り込んでほしい。私の好みの問題だが、読者として心からそう願っている。

「恋愛未満」の関係性を描いた名場面として挙げたいのは、豊島ミホの短編集『純情エレジー』に収録された「あなたを沈める海」の一場面。

高校生の遥(はるか)は、同級生の男子・照(てる)が、堂々と小説を書くことにやや引いている。彼は休み時間も一心不乱に小説を書き、それを隠そうともしないのだ。

「将来は売れっ子作家になって、自分の作品をアニメ化してもらいたいです」

と、進路講座の後に書いた作文発表で、照が言っていたのをおぼえている。照と仲のいい男の子たちは大げさなほど手を叩いたけれど、教室の三分の一くらいはしんとなった。三分の一のわたしたちは、優等生の照に真顔でそんなことを口にされて、言

第１章
運命のふたり？

いようもない不安に襲われたのだ。優等生は優等生らしくきちんとしていて欲しい、若干つまらないくらいの人間でいて欲しい。そういう勝手な思いが多分にあった。

その、つかみどころのない照を、わたしがちゃんと見たのは、高三の夏の、保健室でのことだった。

体育をずる休みして、ソファのうえで脚をぶらぶらさせていたところに、照が入ってきたのだった。Ｔシャツにイモジャー姿の照は、保健室を見渡してから、わたしに「先生は？」とたずねた。そこには他に誰もいなかった。


（中略）


照はしばらく、向かいのソファで黙っていたけれど、クラスメイトと分ける沈黙に耐えかねてか、足を引きずって窓辺まで歩いていった。それから、窓枠に手をついて、大きくふうと息をした。

その背中になんとなく目が行った瞬間、わたしのなかで照は変わった。七月の緑をうつした窓に、すこやかな背中がひとつ、向かっている。山のてっぺんに立った送信所のアンテナみたいに、さみしくまっすぐな直線を、背筋が描いていた。

――このひとはきれいなんじゃないかなあ。

とわたしは思った。そしてもうひとつ、さみしいんじゃないかな、とも。

わたしには、脇目もふらず夢中になれることはなにもない。あったこともない。けれど、それを持っているということは、うつくしくて、そして孤独なことなんじゃないかと、ふと感じた。照の背中を通して、一瞬だけ、カーテンの向こうに透かした空のような、淡いひかりを見たのだ。

「照くん」

と呼ぶと、彼は振り向いて「え?」と言った。

「小説ばっかで、さみしくないの?」

わたしの質問は、ともすれば、ばかにしたような言い方に聞こえたかもしれない。けれども照は、「さあ……」と少し首を傾げたあと、笑顔になって言った。

「さみしいよ」

台詞と表情が合っていなかった。照はものすごく満足げに笑っていた。

その顔にわたしは言いようもなく惹かれ、ソファから身を乗り出していた。

「わたしと遊ぼう」

(豊島ミホ「あなたを沈める海」『純情エレジー』新潮社、38〜40ページ)

周りからは笑われるような自分の夢を、はっきりと口にし、それを迷わない同級生。彼に対して、遥は最初そこまで興味を持っていなかった。

しかしある日保健室で、彼の姿を見た時から、遥のなかで照の存在が変わる。その瞬間を描いたエピソードである。

私がこのエピソードをとても好きな理由は、遥から見た照が、理解できるようで理解できない、そのぎりぎりのラインのところにちょうど存在しているからだ。

というのも、これは「恋をさせる魅力とは何か？」を限りなく端的に表現した名場面だと思うのだ。


人は魅力でしか他人を縛れない、という言葉をネットで見かけたことがある。どこで見かけたのか忘れてしまったので出典を書けないのだが、本当にその通りだと思う。結局、人を最後の最後で縛りそして繋ぎとめるのは、その人の魅力だ。

しかし一方で、魅力は、分解しづらい。他人をいいなと思う感情を突き詰めてゆけば、「なんか、よくない？」というようなふんわりした言葉に落ち着くことが大半だ。

恋人未満の関係というのは、まさに、魅力によって他人を繋ぎとめている時間のことを指す。

まだ契約すらなくて、魅力だけがそこにある。

先ほど紹介したのは、それまでなんとも思っていなかった同級生の照に対して、遥がはじめて魅力を感じるシーンだ。ネタバレになるが、この場面以降、照と遥は高校を卒業してもだらだらと同じような関係を続けることになる。その始まりである場面なのだ。

遥が照の魅力を感じたひとつめのポイントは、その背中を見た時。「その背中になんとなく目が行った瞬間、わたしのなかで照は変わった」という。

相手の身体の一部分に対して、なんとなくいいな、と思う。——これは恋愛の表現としてしばしばある描写だ。

たとえば村上春樹の『羊をめぐる冒険』では「耳の形がいい」という表現がしばしば出てくる。逆に、トルストイの『アンナ・カレーニナ』は「この人の耳たぶの形が嫌だ」と感じるところから夫への嫌悪感を描写する。

遥は照の背中に対して、「このひとはきれいなんじゃないかなあ」「さみしいんじゃないかな」と予感する。

しかし正直この場面だけであれば、しばしば見る、身体から恋に落ちた描写に思える。彼の背中をぼんやり見て、この人いいなと思う。よくある話のように感じる。

本当に面白いのは、遥が「さみしくないの?」と尋ねた後だ。

照は「さみしいよ」と答えながらも、「台詞と表情が合っていなかった」。照はものすごく満足げに笑っていたのだという。

これが、遥が照に魅力を感じたふたつめのポイントなのである。

まず、思っていた姿と違う印象を受ける。教室で見ていた時より、「このひとは、きれいなんじゃないかなあ」と思う。そして、本当は「さみしいんじゃないかな」と、彼のことをすこし理解した気になる。

しかし一方で、ひとりでさみしいことに満足したような表情で「さみしい」と照は言う。「わかる」と思う感情と、「わからない」と思う感情、双方が遥のなかで両立する。

その時はじめて、遥は照のことを手に入れようとするのだ。

人の魅力は、この「わかる」と「わからない」が両立するところにある。

自分がもともと惹かれるものを持っていて（遥の場合は「きれいだな」と思うことだ）、しかし一方で、自分が知らない、わからないものも持っている（「さみしいことに満足げであること」だ）。それが両立するところに、魅力を感じるのだ。

遥はそのわからなさを埋めようとするかのように、照に「わたしと遊ぼう」と手を伸ばす。

その瞬間が、恋人関係ではないけれど、でも当然友情でもない、ぎりぎりのラインを描いている。何度読んでも、私はこの場面を美しいなあと思うのだった。

実際に**人が人に魅力を感じる理由なんて、些細なことなのだろう。でも物語なら、それを一瞬でもいいから、読者にエピソードとして見せてほしい。**関係性がことりと変わる、その瞬間の必然性を、私は読みたいからだ。

恋愛　核心をついた会話の応酬

『アンソーシャルディスタンス』金原ひとみ

この旅行のことを知った母親は俺を罵倒し詰り尽くした挙句、「あんたたちは親子揃って悪魔に騙されてる！」と悪魔のような形相で叫んだのだ。その瞬間、「母さんとの生活は大丈夫か？」と数ヶ月に一度定型文のようなＬＩＮＥを入れてくる父親の意図がようやく分かった。母親なきあの家で沙南と二人で暮らしていると正直に話せば、父親は別の女の人とどこか別のところで二人暮らしを始めるのではないだろうか。実力行使でさっさと沙南と結婚してしまうのもいいかもしれない。結婚式なんてしなくていい。婚姻届だけ出して、コロナが収束した頃にウェディングドレス姿の写真だけ撮りに行くのはどうだろう。そうだ、二人の生活が落ち着いたらずっと母親に「絶対ダメ」と言われていた犬を飼うのもいいかもしれない。

「ねえ沙南、犬飼うんだったらどんな犬がいい？」

なに急にと沙南は笑って、犬はもう大きいのが一匹いるよと俺の頭を撫でる。

「全部俺が世話するし、何なら毎晩一緒にランニングするよ。そしたら俺も体型維持できるし。小さいのと大きいのどっちがいい？」

「あれがいいな、あのぬいぐるみみたいで可愛いけど地頭が悪そうな、幸希みたいな犬」

「なにそれひどいな。ハスキーとか？」

「違う、えっと、そうだ、ゴールデンレトリーバー」

「レトリーバーか。賢そうな顔してるけどね」

「人に好かれるのは得意だけど命令がなきゃ何もできなさそうな感じが幸希にそっくりだよ」

「母親がコロナで死んだらうちで二人で暮らそう。それで結婚して、レトリーバーを飼おう」


（金原ひとみ「アンソーシャル ディスタンス」『アンソーシャル ディスタンス』新潮社、230〜231ページ）

私が**恋愛小説というジャンルに何をいちばん求めているのかといえば、会話である。**
いや、世の中の恋愛小説に対して言いたいことはたくさんあるのだが、それにしても、一にも二にも会話である。いい会話を読みたい、そのために私は恋愛小説を読んでいる。

内容がどんなにくだらなくても、そこにしかない会話を読みたい。そのふたりにしかできない会話を読みたい。ちゃんと血の通った会話を読みたい。そういう欲求を満たしてくれるのが小説だ。しかも、ちゃんと恋愛しているふたりの会話。距離の近しい会話というのは、恋人たちに残された数少ない特権なのではないか、と思う時がある。

というか、ふたりの会話もなしに、恋人であるという事実を読者にわからせることなんて無理じゃないか。

「アンソーシャル ディスタンス」は、コロナウイルスが流行した時代を生きるふたりの大学生の物語なのだが、恋人であるふたりの会話がとてもいい。

沙南は昔から情緒不安定気味の女子大生だ。恋人の幸希はひとつ上で、もうすぐ就職する。

ふたりは卒業前に鎌倉へ旅行にいくことにする。

旅行前に来た沙南の「心中しない？」というＬＩＮＥに対して、幸希は思わず「いいかもね」と返信する。そしてそのまま、彼らは旅行へ向かう。

冒頭の会話は、そんな旅行が終盤に差し掛かった一場面である。

そもそも学生時代というのは、自由であるようで意外と縛られていて、そこから自分の力でなかなか抜け出せない時期だ。社会や親の決めた規範に従わされるけれど、その規範にぼんやりと不満を覚えており、だけどそこから抜け出すにはまだ力が足りない。そしてそれは「アンソーシャル ディスタンス」で描かれる、感染症が流行する時代なら、尚更だ。

感染症流行という未曾有の事態がやってきて、それにまずは対応しなくてはいけない。だけどそれによって切り捨てられたものに対して、誰も、何の責任もとってくれない。失ったものは何もかえってこない。それでも、誰にも責任をとってもらえないまま、その規範に従うしかない。

「アンソーシャル ディスタンス」という小説は、「規範に従うか、従えないのか」という葛藤がひとつのテーマになっている。世間が決めた規範に上手く従っているように見えて、それでも生きづらさを感じている幸希と、そもそも上手く従うことができない沙南。そのふたりの恋人関係を描いた物語なのである。

幸希から見て沙南は、自分がなかなか超えられない規範を、さらりと超えているところに惹かれる。反対に沙南は、なんだかんだ規範を超えずに生きている幸希に惹かれている。

しかし幸希の母親は、沙南と付き合っていることに批判的である。そしてコロナ騒ぎと父親の浮気によって、最近はさらに神経質になっている。そんな母親の様子を見た幸希は、

「さっさと沙南と結婚してしまうのもいいかもしれない」なんてぼんやりと夢想する。

幸希は、沙南に「ねえ沙南、犬飼うんだったらどんな犬がいい？」と尋ねる。犬もまた、母親が決めたNG規範だ。沙南は笑って、なに急にと尋ねる。

実はこの旅行を通して、沙南はどこかで「幸希は母親の決めた規範を外れない人間だろう」ということもわかっている。しかしそれでも彼女は、幸希の冗談のような言葉に乗っかるのだ。「あれがいいな、あのぬいぐるみみたいで可愛いけど地頭が悪そうな、幸希みたいな犬」「人に好かれるのは得意だけど命令がなきゃ何もできなさそうな感じが幸希にそっくりだよ」という沙南の言葉は、幸希が〝規範から外れないけれど、外れることに憧れを持っている人物である〟ということを示す。

幸希は沙南に対して「母親がコロナで死んだらうちで二人で暮らそう。それで結婚して、レトリーバーを飼おう」と言う。これが現実的な発言ではないなんて、ふたりともわかっているのだ。現実的ではないけれども、それでも切実な言葉が、このふたりの関係性を端的に表現している。ゴールデンレトリーバーが幸希みたいだと沙南が言うことも、結婚して犬を飼おうと幸希が急に言い出すことも、結局は、ふたりの今の状況を表現した台詞なのである。

恋人たちの会話は、「距離が近いからこそ、そのふたりにしかできない会話」を読みたい。

そこには冗談みたいな台詞のなかに入り込む、**ふたりの関係と今の状況をさらりと表した言葉があってほしい。**わざとらしくないけれど、ぎくりと核心をついた、ふざけた言葉。そういう会話の応酬を読んだ時、私ははじめて「恋愛小説読んでよかった～！」と心から感じる。

なぜなら、ふざけながら核心をつく、その緊張感にこそ、他人の恋愛をドキドキしながら読む醍醐味が宿るから。

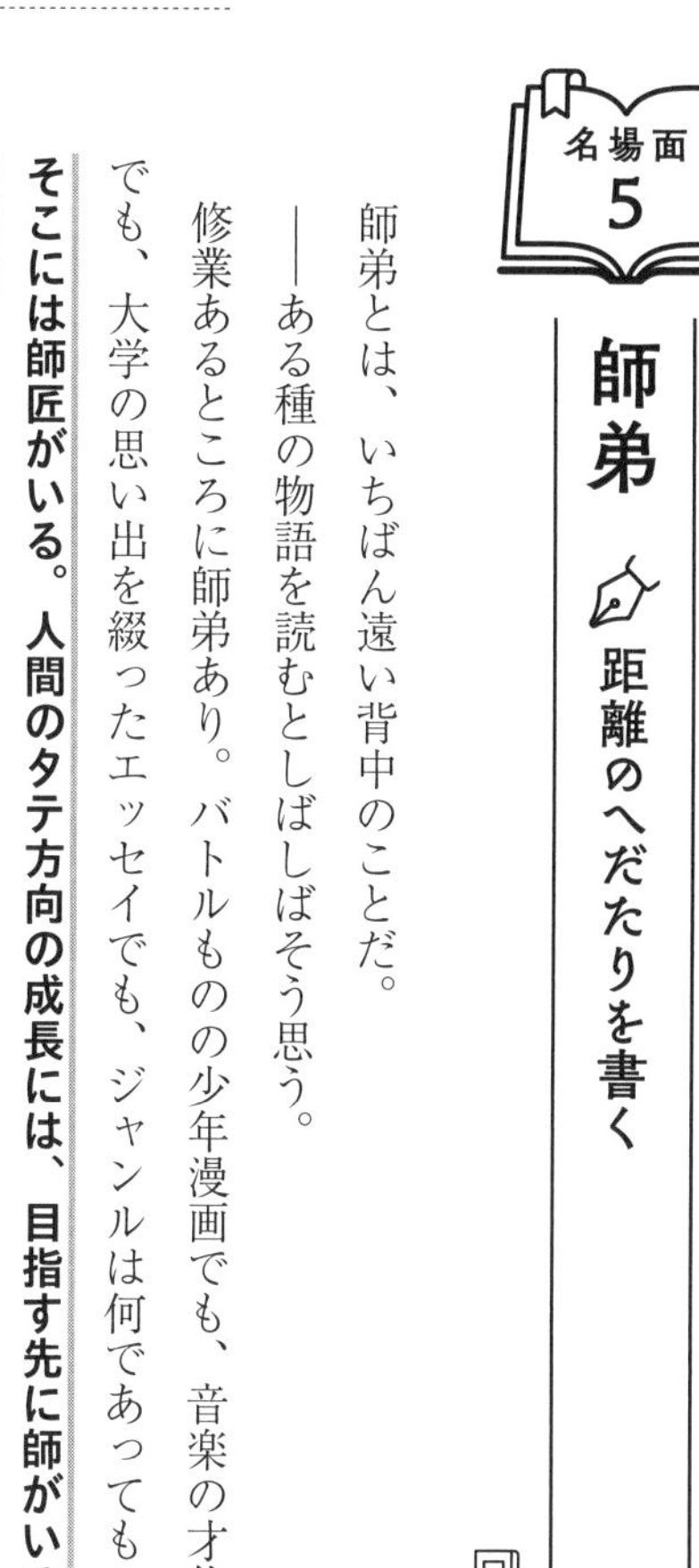

師弟

距離のへだたりを書く

『銀橋』中山可穂

師弟とは、いちばん遠い背中のことだ。

——ある種の物語を読むとしばしばそう思う。

修業あるところに師弟あり。バトルものの少年漫画でも、音楽の才能を描いた少女漫画でも、大学の思い出を綴ったエッセイでも、ジャンルは何であっても**「修業」を描く時、そこには師匠がいる。人間のタテ方向の成長には、目指す先に師がいることが必要になるからだ。**師弟の物語はフィクションでたくさん描かれてきた。

小説だって例外ではない。たとえば夏目漱石の『こころ』だって師弟小説だ。「先生」と「私」の物語だが、先生は私にとって師である。なぜその関係が『こころ』において重要なものになるかといえば、これが人間の成長についての物語だからである。

はっきりそう打ち出していなかったとしても、意外と師弟の関係は、そこらじゅうに散らばっている。

次に紹介する「師弟」の物語は、中山可穂の『銀橋（ぎんきょう）』。

実在する宝塚歌劇団を舞台にした小説である。『男役』『女役』から続くシリーズの第三弾だが、基本的に一巻完結の作品なので、本書だけを読んでも楽しむことができる。

『銀橋』で描かれる宝塚の組織は、上級生や下級生の上下関係が厳しい世界だ。この物語は、彼女たちが舞台役者という芸事を追求していくさまを見せるからこそ、師弟関係が明確に描かれている。芸事という正解のない世界のなかで、自分の追う背中をそれぞれ見つける様子が、『銀橋』という小説には、これでもかと詰め込まれている。

彼女たちの師は、身近な先輩である。年齢でいうと、離れていても十歳くらいの違いでしかない。

『こころ』で描かれたような先生と私の年齢ほどには、離れていない。『スター・ウォーズ』にしろ『ドラゴンボール』にしろ、師匠というとかなり年上のイメージが強いかもしれない。

しかし『銀橋』に登場する師匠は、そこまで歳の離れていない先輩だ。――そんな時、どうやってその師弟関係を描くのだろう？

次に紹介するのは、『銀橋』の主人公のひとり、男役トップスターの花瀬（はなせ）レオ（通称レオン）が、下級生たちに檄（げき）を飛ばす場面だ。ポイントは、師匠と弟子の、遠さ、である。

「あわじくん、まずはきみを一人前の男役として鍛え上げる。私の一挙手一投足をストーカーのごとくロックオンしろ！」

「はいっ！」

「芸とは模倣なり。舐めるように私を見ろ。私に恋をして私のようになりたいと思ってすべてを盗め。愛だけが人を成長させる。みんなそうして男役を磨いてきたんだ。私が今日からおまえの神だ。わかったか？」

「はい、わかりました！」

真面目で研究熱心なあわじくんは同期のみずかからレオン情報を漏らさず収集していた。好きな食べ物は何か。ウインクの利き眼はどちらか。行きつけのマッサージ店はどこか。どこの美容院にかよっているか。好きなお洋服のブランドはどこか。最も影響を受けた先輩はどなたか。

（中山可穂『銀橋』角川文庫、126〜127ページ）

「今日からおまえの神だ。」と言うほどの、圧倒的な距離の遠さ。はたしてこの世で神と人間くらい遠い存在がいるだろうか。

前述した通り、レオンはトップスターになった男役だ。それに対して、あわじくん（これもあだ名である）は、まだまだ未熟な下級生として登場する。

レオンの台詞も、あわじくんのありかたも、ふたりの間にある遠さを読者に伝える。

この場面は、レオンがあわじくんに「今日からきみの師は私だ」と宣言する場面だ。しかし同時に、**ふたりの間にある遠い距離を、読者に示す**、という効果ももたらす。

もしかしたら、レオンに神だとまで言わせなくても、宝塚の世界に詳しい人ならば、ふたりの間にある距離を一瞬で理解するのかもしれない。トップスターと一劇団員の間にあるその距離の遠さをわかってくれるかもしれない。

しかしこれは小説なので、宝塚歌劇団のことをよく知らない人も読む。「同じ劇団内であっても、ふたりの間には明確に遠い距離があって、そしてこの瞬間からふたりは師弟になったのだ」と瞬時にわかってもらわなくてはいけない。そのために作者はレオンにこの台詞を言わせたのだ。

師弟に年齢は関係ない。立場すら関係ないかもしれない。**師弟だと決まったら、その瞬間から、ふたりの距離はひらくのだ。**というか「距離がひらいているもの」という前提のもとに、弟子は師を神だと思って真似し始めるのだ。その姿勢こそが、レオンの言う通り、芸の道に精進させる。自分はまだまだだ、もっと成長しないと、と弟子は努力するから。まさに師弟関係を描いた、名場面である。

実際、この場面の後で、あわじが同期のみずかにレオンについて質問した時、みずかは答える。

「でもあわじぃ、レオンさんの肝心なことは私何も教えてあげられないや。一番近くにいるけど遠い背中なのよね」

みずかはあわじの同期として入団したにもかかわらず、トップ娘役に抜擢(ばってき)され、レオンの相手役を務めている。物理的に近くにいたとしても、現実的な立場がたとえ変わらないとしても、それでも、「一番遠い背中」なのだ。

そう認識する人物のことを、人は師と呼ぶ。

『銀橋』には、芸事や成長の道についての台詞がたくさん書き込まれている。宝塚歌劇団という組織を舞台としながら、そこに登場する女性たちの何かを極めようとするさまが仔細に描かれるのだ。

最後に、先ほど引用した台詞の前に、レオンが下級生たちに語った言葉を紹介して終わろう。自分たちの「弟子」に向かって、自分自身の教えを伝えるシーンだ。

「よいか諸君、男役とはこの世に実在しない理想の男性像である。男役は裏切らない。男役は色褪せない。男役は決して乙女心を踏みにじらない。世の女性たちに束の間つらい現実を忘れさせ、夢を見ていただき、萌えを与えて帰っていただく。萌えあればこそ人はまた一週間、お仕事や子育てをがんばれる。我々宝塚歌劇団が百年間も潰れずに繁栄してきたのは、萌えが文化だと認識してその提供に全力をかけてきたからだ。日々のささやかな暮らしに潤いとときめきを与えるもの、それこそが萌えなのだ。我々はみな、誰かのご贔屓になって愛でられなければならない。世のご婦人方に胸キュンを与えるためだけに男役は存在する。スターはオペラ越しに殺してナンボ、その積み重ねが男役芸となり、我々の歩いた道が男役道となる。舞台とは我々の生命力そのものだ。キザればキザるほど生きる力が湧いてくる。萌えれば萌えるほど人生は楽しくなる。我々とお客様は、銀橋をまたいで同じ生きる喜びを共有し、ひとつにつながっているんだ！」

（同前、126ページ）

エンターテインメントや舞台の世界を描いた作品は数あれど、こんなふうに本質をずばりと言い得てくれる小説には、信頼しか生まれない。「なるほどなあ」と登場人物の台詞に納得する時、私たちはキャラクターだけでなくその小説のことすら、好きになってしまう。

師弟の描き方といい、舞台の魅力を語る場面といい、中山可穂の台詞の鋭さには、いつも脱帽してしまう。芸事の世界のエピソードを描きたい人にとっては必読の作家と言えるだろう。

家族

何を分かち合っているのか書く

『キッチン』吉本ばなな

吉本ばななの小説を読むと、いつも「家族」の定義について考えこんでしまう。小説で「この関係性は家族でしかありえないなあ」と読者に感じさせるのは意外と難しいのかもしれない。**血が繋がっていれば家族、というわけでもないし。一緒に住んでいたら家族、というわけでもない。**

しかし吉本ばななの小説は、たとえそこに血縁がなくとも「家族」を感じさせる描写が多い。

きっと彼らは家族なんだろうなあ、と読者に思わせるのだ。

家族の定義とはなんだろうか。今回紹介する『キッチン』を読む最中も、考えこんでしまう。

『キッチン』の主人公みかげは、大学生だが、幼い頃に両親を亡くし、その後育ててくれた祖父母も亡くしている。家族がこの世からいなくなったみかげは、ある日出会った雄一の家に住むことになる。雄一の家庭も複雑ではあったが、みかげは彼らに馴染(なじ)んでゆく。『キッチン』をさらりと読むと、みかげと雄一は恋愛関係になるのだろうか？　と想像してしまう。いきなり一緒に住み始めるし、ふたりは何か通じ合っているようにも見える。

しかしこの小説は、あくまでみかげと雄一を「家族」として扱う。

ふたりが「家族だからだよ」と確認する場面もあるが、それ以外にも、ふたりの関係性を家族として描いている場面がある。


「……よし、床みがきを再開しよう。」

と彼は言った。

私も洗い物を持って立ち上がった。

カップを洗っていると、水音にまぎれて雄一が口ずさむ歌が聴こえた。

♬月明かりの影　こわさぬように
岬のはずれにボートをとめた
「あっそれ知ってる。なんだっけ。結構好き。誰の歌だっけ。」

私は言った。

「えーと、菊池桃子。すごい耳につくんだよね。」

雄一が笑った。

「そうそう!」

私は流しをみがきながら、雄一は床をみがきながら、声を合わせて歌を続けた。真夜中、しんとした台所に声がよく響いて楽しかった。

「ここが、特に好き。」

と私は二番のアタマのところを歌った。

(中略)

ふと、私の口がすべって言った。

「おっと、あんまり大声で歌うと、となりで寝てるおばあちゃんが起きちゃう。」

言ってから、しまったと思った。

雄一はもっとそう思ったらしく、後ろ姿で床をみがく手が完全に止まった。そして、振り向いてちょっと困った目をした。

私はとほうにくれて、笑ってごまかした。

(吉本ばなな『キッチン』新潮文庫、54~55ページ)

これは雄一が床みがきをして、みかげが洗い物をしているシーンである。「家族」を描いたシーンとして、ものすごい名場面だ。

ともすると、同棲し始めたカップルの仲の良い場面に見えるかもしれない。ふたりで一緒の歌をうたっている。それも、雄一が始めた鼻歌に対して、みかげが「知ってる」と反応する。相手のなんとなく歌い始めた曲を自分も知ってて、なんだっけと言いながら一緒に続きを歌う……、なんて幸福な風景でしかない。

しかし吉本ばななは、これをただ歌わせるのではなく、雄一には床みがき、みかげには洗い物という役割分担を課している。この**役割分担があることで、実はグッとふたりの「家族っぽさ」が増しているの**だ。

家族とはたぶん、何かを掛値なしに分かち合う人のことだ。

役割分担というのは、何かひとつのもの——たとえば一緒に暮らしている生活そのものだったり、金銭的なことかもしれないし、お互いの人生そのものみたいなものかもしれないが——を分け合うことによって発生する作業だ。分かち合うからこそ、そこに役割が発生する。あなたとわたしで違うことをして、何かひとつのものを完成させる。

たとえばみかげと雄一であれば、一緒に暮らす家を快適に保つということを、それぞれ役割分担して家事をおこなうことによって、分かち合っている。

そして分かち合うことそれ自体に、約束が発生する。会社との契約のように、何かを目的として役割分担をしているわけではない。ただ、分かち合うことに、意味がある。**分かち合うことそのものが、家族の営みであり、家族の証だ。**

——『キッチン』はそう告げているように、見える。


みかげは、何の違和感もなく、さらりと雄一と家事を分担する。ふたりはそれぞれ異なる家事をおこなう。そして自然と鼻歌は共有される。

その様子は、まぎれもなく家族の姿なのだ。

『キッチン』のなかで、みかげは雄一の家で暮らしながらゆっくりと回復してゆく。とくにこの場面は、みかげが、両親や祖父母を亡くしたことで失ったものを取り戻していく過程を描いている。

みかげが孤独じゃなくなるためには、食事や掃除といった生活の部分を分かち合ってくれる人が必要だった。その人は、みかげのために、というわけではなく、ただ生活を共にするために、役割を一緒に分担してくれる人でなくてはいけなかった。そしてその末に食事や鼻歌を共有してくれる人を欲していたのだ。

雄一はそういう意味で、ちゃんとみかげの家族になっていた。

雄一と家事を自然に分担する姿は、みかげが欲していた家族の姿そのものなのだ。

家族を描く際、さまざまな描きようがあるのだろうが、吉本ばななの小説を読むと**「それぞれ構成員に役割を与えること」が大切**だとわかる。「役割」があってはじめてそこは家族という組織になり得る。

どんな関係性でもいい、でも何かを分かち合っているように見えること、それこそが本当の意味で家族を描く時に必要なことなんじゃないか……と、『キッチン』を読むたび感じるのだった。

動物との関係

人間の眼差しを通すことで関係がわかる

『ことり』小川洋子

小川洋子の小説『ことり』は、ひとり暮らしのおじいさんと、一羽の小鳥の物語。おじいさんと小鳥の「関係」――それは関係性と呼べるような呼べないような、それでも「関係」と呼びたいような関わり合いになっており、なんとも豊潤な小説なのだ。

小説の中心に動物を持ってくることは、案外難しい。映画ならよくある。「犬と人間」「猫と人間」の関係性は、しばしば夏休みに見られるエンターテインメント映画に入りこんでくるテーマだ。漫画でもよくある。飼い主の猫への溺愛を綴ったエッセイ漫画は枚挙に遑(いとま)がないし、フィクション・ノンフィクション問わず動物を中心に持ってくることは珍しくない。しかしそれらが成立するのは、やはり圧倒的に、ビジュアルがそこにあるからだ。当たり前のことだが、犬や猫に限らず、**動物は言葉を持たない。彼らの画が、動きが、あってこそ、存在感が出る。**

では小説で動物を中心に持ってきた物語は存在しないのか？　と問われると、ちゃんと存在する。しかし書く上で技術が必要なのは確かだ。

そういう点で『ことり』は、動物を魅力的に綴ることに成功している小説なのである。


物語は、あるおじいさんが亡くなった場面から始まる。

遺体を発見した新聞の集金人は、彼のことをよく知らない。親しい人は近くにほとんどいないようだった。

そのおじいさんは「小鳥の小父さん」と呼ばれていた。近所の幼稚園にあった鳥小屋を、ひとりでボランティアとして世話していたからだ。

おじいさんが亡くなった部屋には、小鳥がいた。一羽の小鳥が、鳴き続けていた。

小説は、彼の人生を振り返るかたちで進んでゆく。

おじいさんには兄がいた。はじめて鳥小屋に彼を連れて行ってくれたのも兄だった。

その兄は十一歳を過ぎたあたりから、ふつうの言葉を喋らなくなった。母親がいくら「正しい」言葉を取り戻そうと努力をしても、彼自身が独自に編み出した言葉で喋ることをやめなかった。そんな兄を彼は、小鳥と同じで、さえずりのように言葉を喋っているのだと理解する。彼は大人になり、兄とふたり暮らす。兄弟ふたりの生活の傍にはいつも小鳥がいた。
けれどやがて兄も亡くなり、彼は静かにひとりになってゆく。友達や恋人もおらずひっそりと暮らし、兄の死後日課となっていた幼稚園の鳥小屋の掃除さえもとりあげられる。そんな彼が世話し始めたのが、怪我(けが)をした一羽のメジロだった。

動物を小説のなかに登場させる時、どうしても、その動物のことを描くには人間のフィルターを通さなくてはいけない。動物は自分で言葉を発さないので、人間からどう見えるかを描写せざるをえない。
『ことり』のすごいところは、主人公の「小父さん」から見たメジロの愛らしさが、小説から伝わってくること。つまり、徹頭徹尾、小父さん視点、小父さんフィルターで小鳥たちが描写されているのである。

メジロを置いて外出するのはひどく辛いことだった。衛生面から新しいスポイトが必要になったり、郵便局へお金を下ろしに行くような時は、心配でたまらなかった。具体的に何が心配なのか自分でも上手く説明できないのだが、テープでぐるぐる巻きにされたメジロが一羽、家に取り残されていると思うだけでいたたまれない気持に陥った。小父さんは最短の時間で移動できるよう目一杯自転車を漕ぎ、テキパキと用事を済ませ、息を切らしながら玄関に駆け込んだ。段ボールを覗くと当然のようにメジロはそこにいて、

「一体どうしたんです？　そんなに慌てて」

とでも言いたげな目で小父さんを見上げた。

「変わりはないか？」

「いいえ、何にも」

小父さんをもっとよく見ようと、メジロは何度も右に左に首をかしげた。どんなに翼が傷ついていようとも、空を飛べなくても、鳥の利発さを証明するこの仕草だけは損なわれていなかった。


（小川洋子『ことり』朝日文庫、２６７〜２６８ページ）


たとえばこの場面では、前半部で小父さんのメジロへの想いが存分に語られている。まだ家にメジロが来たばかりで、小父さんはうろたえている段階なのだ。メジロは最初から怪我をしており、小父さんは心配でたまらない。

後半部、小父さんが帰ってくるとメジロはそこにいる。そして、小父さんから見たメジ

ロの描写になる。

もちろん小鳥は言葉を喋れない。しかし小父さんから見た小鳥は、言葉を持っているかのようだ。こんなふうに言葉が交わされる様子を読むと、小鳥と小父さんの間に関係性が築かれているのがわかる。なによりも小父さんから見た小鳥の愛らしさが伝わってくる。

こんなふうに、**「人間のフィルターを通した動物の姿」を描くことで、その動物の愛らしさや魅力を伝える**、という手法は、『ことり』の他の場面にも通じている。

> 住まいや餌のことと関係があるのかどうか、鳥籠に移ってからメジロの歌はまた一段と上達した。一音一音を転がすスピードが増し、アクセントのつけ方が絶妙になり、声に甘さが加わった。最初の頃の危なっかしい感じはすっかり消えていた。
>
> 午前中の早い時間、二人は毎日練習した。バードテーブルにメジロが集まってくる朝もあったが、彼は集団のさえずりには耳を貸さず、小父さんの歌にだけ付き従った。二人の歌は徐々に近づき、ひととき溶け合い、分かち難く一つのメロディーを奏でた。
>
> 「今、上手くいきましたね」
>
> そんな時メジロはクルリと瞳を動かし、合図を送ってきた。小父さんはうなずいて

それに答えた。二人だけの間に、暗号が通じ合う瞬間だった。

（同前、277ページ）

メジロが美しいさえずりを奏でるので、小父さんがいっしょに練習しているのだ。「今、上手くいきましたね」そんなふうに小父さん目線の台詞をアテレコ的に出すことで、小父さんとメジロの間に、たしかにコミュニケーションが存在していることがわかる。

動物と人間では、言葉がないからコミュニケーションなどないと思われるかもしれない。だけどそこにはたしかに、本人たちにしかわからなくても、通じ合う言葉がある。それを小説で表現するには、こんなふうに、おもいっきり人間の目線を通した動物の姿を描くことに徹することで、可能になる。

『ことり』を読むと、人間相手では通じ合うことが難しかった小父さんの真摯なコミュニケーションが、小鳥相手だとちゃんと通じていることが、わかる。

それは誰にも邪魔されない、たしかに魅力的で豊かな関係性のひとつなのだ。小説を読むと、そうしみじみ思えてくる。

第2章
ふたりはどの段階？
―関係性の変化を書く―

出会い

重要人物には特別なエピソードを用意する

『空飛ぶ馬』北村薫

小説のなかで、「名場面」が生まれやすいタイミングはあるんだろうか？

私は「関係性が変わるタイミング」こそが、そのひとつだと思っている。

主人公と、その周囲にいる登場人物の関係性が変わる瞬間を描く時、作家は「今、重要なことが起こってるぞ！」と読者にわかってもらいたい。そのため「関係性が変わるタイミング」は、作者が気合を入れた場面になることが多い。

ここまでは「どんな関係性か」という点に着目して場面を紹介してきたが、この章からは「関係性を深める過程」ごとに名場面を紹介しよう。


まずは、「関係性の始まり」から——今回のテーマは「出会い」だ。

これから物語が始まってゆくのだ！　このキャラとの出会いがすべてを変えるのだ！とわくわくするような場面になってほしいところだ。でも出会いってあらためてどうやってドラマチックに出会えばいいのか、考えてみると難しい。ベタに走りすぎると「食パンくわえてぶつかる女子高生」「クラスにやって来たかっこいい転校生」といった、どこかで見たような場面になってしまう。しかし、出会いがさりげなさすぎると、そもそも「面白くなさそう……」と思われて、読み続けてもらえない。

そう、物語の始まりは、グッと読者に刺さるものでなくてはいけない。読者の興味を惹きつつ、ページをめくらせつつ。それでいて、主人公が無理なく動く場面でなくてはいけないのだ。

そこで今回取り上げるのは、稀代の名作小説『空飛ぶ馬』の冒頭。

『空飛ぶ馬』の主人公は、本好きの文系女子大生。昨晩本を読んでいたから、今朝も眠い。眠い目をこすりながら来た大学は、まさかの休講。

彼女があくびをした時、「先生」に出会うのだ。

> 私はしいんと静まり返った廊下の方に向きを変えると、両手を脇にぐっと伸ばし曲芸をするおっとせいよろしく胸をはってあくびをした。してしまった。
> 自分でいうのもなんだけれど、少しは可愛らしいと思っている顔にとってこれは致命的な行為であろう。大きく口を開けるために必然的にしっかり目を閉じたから、真

ん前のドアが開いたのに一番先に気がついたのは私の耳の方だった。
体によくない。心臓があくびと一緒に口から飛び出すかと思った。

「……や、こりゃあ」

ドアを開けた相手は私にとって屈辱的な言葉を口にした。もっとも、これは主観の問題でその時の私には《吾輩は猫である》といわれても屈辱的であったろう。公平にいって向こうに責任はない。それに口調は嘲弄（ちょうろう）でも驚愕でもなく、申し訳ないといったものだった。考えてみれば、こんな時に出る文句は、や、こりゃあ、ぐらいしかないのかもしれない。そして私も、あくびを呑みこんだ口を必要以上に小さく開いて、いたって曖昧（あいまい）にいったのである。

「……あ、どうも……」

言葉に色がつくものなら、この《あ》も《どうも》も真っ赤だったろう。
間の抜けた答えをしながら、私は相手が近世文学概論の加茂（かも）先生だと気がついた。

（中略）

「ふーん」

先生は何と続けようか考えているような顔をした。けれど、すぐにその唇が曲がり始めた。あくびが出そうになって噛み殺しているのだと、私は気付いた。私のがうつったのである。幸せなおかしさ、とでもいいたいような気分になって私はにこりと微笑んでしまった。

先生は悪戯を見付けられた子供のような顔をした。それからにっこりしていった。

「コーヒーでも、飲みますか？」

（北村薫「織部の霊」『空飛ぶ馬』創元推理文庫、14〜15ページ）


この後主人公は、「加茂先生」にある依頼をもちかけられる。そしてその依頼は『空飛ぶ馬』が描く謎につながる。つまり加茂先生は、物語の導入につながる重要人物なのだ！

しかし（こう言ってはなんだが）加茂先生は五十〜六十代のふつうの先生。特別美形とか、変人とかいうわけではない。単なる大学の先生だ。

だけど主人公にとって、加茂先生との出会いは重要な場面である。……さて、どうやって出会わせるか？　そしてつつがなく先生に依頼を喋らせるか？

北村薫はものすごく小説が上手い人だ。そしてその手腕は、こんな、さらりと描いた主人公と加茂先生との出会いにも発揮されている。

私が小さいころ読んでいた漫画雑誌で、「まんがの描き方」を教えてくれるコーナーがあった。題材は起承転結や漫画のコマ割り、キャラクターの作り方。「へえ、お話ってこうやって作られてるのか」と興味をそそられ読んだ。

なかでも印象的だった教えがある。

「主役など、作中で重要なキャラがはじめて登場するシーンは、そのキャラを大きく描きましょう」

そう書いてあるのを読んだ私は、注目した。まんがで、主人公がはじめて出てくるシーン。相手役が登場する場面。すると、たしかに、きまって大きいコマで、顔のアップや全身が描かれている！

私は小学生ながらに納得した。なるほど、漫画はこうやって作画で「このキャラは重要人物ですよ」と伝えているのか！

翻って考えてみる。絵がない小説の場合は、どうすればいいのだろう。

今回紹介した場面のひとつめのポイントは、「ドアを開けた相手は、私にとって屈辱的な言葉を口にした」という一文である。

主人公はあくびをして、それを見られただけなのだ。もちろんうら若き乙女が大きなあくびを見られたら恥ずかしいかもしれない。だが、それにしてもあくびを見られただけで

「屈辱的」って、けっこう大げさな言い方だ。

しかしここは意図的に大げさな書き方をしたのだろう。

なぜなら、ここで大げさに「屈辱的」と述べさせることで、主人公がわりと古風な女の子であることがわかるから。そして物語のセオリーとして、古風な女の子の恥ずかしい場面に遭遇するのはきまって物語の重要人物である、という法則が存在する。そう、「パンをくわえた女子高生にぶつかるのはヒーロー」の法則である！

これ、北村薫なりの「パンをくわえた女子高生」場面の翻案なのである。普段はこんなことしない主人公が、恥ずかしい振る舞いをしていた時、ちょうどぶつかった人物。「うわ、見られた！」そう恥ずかしがっていたら、その人と関わることになる。それは私たち読者が慣れ親しんだ、普遍的な物語のセオリーである。

しかしパンをくわえさせるのはちょっとベタすぎる。そこで北村薫が持ってきたのが、「あくびをしていた女子大生にぶつかるのは先生」という状況だったのだ。

さらに最高なのが、その後、先生にあくびがうつるところ。

あくびがうつる、ってなんだか親密でありながら日常的な「あるある」でもあり、上手いエピソードではないか。ちょっとした秘密の共有。それは親しさの証になる。

主人公の大きなあくびは、先生にうつる。そして先生は言うのだ。「コーヒーでも、飲みますか?」と。

これ以上スマートなコーヒーの誘わせ方があるだろうか。作者の手腕に私は震えてしまう。作者からすると、初対面の主人公と先生にコーヒーを飲んでほしい。そしてそこで行われる雑談が物語のキーになる。

だけどいくら大学の先生と学生だからって、たとえばレポートの提出や研究室の手伝いのような、凡庸な出会いになってしまうと、あまりにそっけない。というか、読者の興味を惹けない。たぶん下手な作家だったら、レポートの提出がてらコーヒーを飲むことになるんだろうが、そうしないのが北村薫。ちょっとした特別でありながら日常的な出会いをもって、ふたりにコーヒーを飲ませるのだ。

なんという名場面。**最高の「パンをくわえた女子高生」、じゃなかった、「あくびをした女子大生」である。**

私たちはこの場面を読むだけで、なんとなく「あ、この先生が重要人物なんだな」と察する。

それは**私たちのなかに物語のセオリーが共有されている**からだ。そして**そのセオリーを**

使っていることなど認識させないくらい、作家がひっそりと技術を使っているからだ。

名場面を紐解く(ひもとく)と、小説の面白さが浮かび上がってくる。

こんなささやかな出会いにすら、「名場面」は転がっている。

関係性の変化

主人公の価値観に説得力をもたせる

『ナラタージュ』島本理生

前に紹介したのは「出会い」の場面だった。物語の始まりだ。さて、ここから物語は次に進まなければいけない。……と、考えたところで立ち止まってしまう。

物語って、いったいどうやって、前に進んでいるんだろうか。

物語ってどういうふうに作られるんだろう？　考えてみると不思議な気持ちになる。

現実に住む私たちは、日々息をしていれば、次の日がくる。しかし物語はそうではない。登場人物が日々淡々と生きていても、それだけではなかなか物語（つまりあるひとつのエピソード）にならない。いや、主人公が歩いているだけの小説もあるが、それでも歩いている最中にさまざまな出会いや発見があってはじめて、ひとつの物語になり得るのだ。

そう、**ひとつのエピソードが始まるには、主人公が他者と出会うことが、どうしても必要**なのである。

そしてその**他者と関係性が変化してゆく様子が、エピソードを作ってゆく**のだ。

他者に出会わない物語って、ないんだろうか？　考えてみると、これがびっくり、本当にない。主人公がいて、そして主人公が誰かに出会うのが物語である、というセオリーがこの世には存在している。

桃太郎もまずは猿やキジと出会うし、シンデレラも王子様と出会う。かぐや姫もおじいさんと出会うし、マッチ売りの少女ですら記憶のなかのおばあさんに出会う。

物語とは、つまりは「主人公が誰かと出会う話」のことなのだ。

だからエピソードを書こうと思ったら、まずは「これは主人公と何が出会う物語なのか？」を考えるべきである。

そしてこれ、創作に限った話ではない。というか、創作に限った話だとしたら私がこんなにえらそうに書けるわけがない！　私はれっきとした非創作者である。

本や映画の感想、あるいは就職活動や転職活動のエントリーシート、日記、エッセイに至るまで。どんな文章でも、出来事のエピソードを書こうとしたら、出会いは避けて通れない。

たとえばエントリーシートなら「自分が●●というバイトに出会って変わった話」、本の感想なら「自分が●●の本を読んで考えた話」。

なにかと出会った自分は、どう変わったか。それを書くのが――たとえばエッセイや感想、体験談といった――エピソードなのだ。

創作との違いは、出会う主人公が、「自分」か「他人（架空の人物）」か、の差でしかない。

ね？　そう考えると、小説の名場面を読むことも、自分の文章修業に繋がるのだ。これが自分で創作する人もそうでない人も、名場面に注目して小説を読んでみてほしい理由のひとつである。

どんなエピソードにも、「出会い」がある。……ならばこうも言える。どんなエピソードにも、「出会った後、こんなふうに関係が変化した」という経緯がある。

その変化こそが物語になるのだから。

さて私の好きな小説で描かれた「出会った他人との、関係性の変化」をご紹介したい。

だけどそのとき、すぐ横の階段から葉山先生が下りてきた。その駅のホームで会ったことはそれまで一、二度しかなかったので、私はとても動揺した。彼は明るい顔で

こちらへやって来ると、おはよう、のあいさつもそこそこに紙袋を取り出して
「先週、貸したビデオなんだけど、完全版のほうを見つけたから、そちらも貸すよ」

私は曖昧に頷いてお礼を言った。そして受け取った紙袋をすぐに鞄にしまった。このままでは彼と一緒に登校することになる。そうしたら少なくとも今日一日は我慢しなければならない。にわかに気分が真っ暗になって、目の前の線路のほうを見た。朝日に照らされた線路が呼び込むように光って輝いていた。

今、ここで飛び込んでしまおうか。そう思って葉山先生の顔を見た。彼は穏やかな表情で電車が来るほうを見ていた。

この人の前ではそんなことはできない、と思い直した。ホームに電車が滑り込んで来たのを見て私は泣きたくなった。この瞬間を逃したら、私はふたたび本気で死のうとは思わないだろう。そしてまた神経を擦り減らすだけの日常へ戻らなくてはならない。電車の強風で揺れていたスカートの裾がゆっくりと落ち着いて、ドアが開いた。行こう、と葉山先生が声をかけた。私は小さく、ハイ、とだけ答えて電車に乗った。

席に並んで座った葉山先生は他愛ない話をしていた。私はほとんど黙って相槌を打っていた。そして、私はこの人が好きなのだと気付いた。

（島本理生『ナラタージュ』角川文庫、207〜208ページ）

島本理生の『ナラタージュ』。とにかく小説として絶品なのだ。あなたがもし未読であれば、ぜひ読んでみてほしい。

『ナラタージュ』は誰が誰と出会う物語かというと、「大学生の泉が、高校時代の演劇部顧問の葉山先生と再会する」話。

泉は高校時代、葉山先生のことが好きだった。そして大学生になった泉に、葉山先生から連絡が来る。演劇部ＯＧとして高校生たちの文化祭演劇を手伝ってくれ、と。

今回紹介したのは、高校時代の泉が葉山先生のことを好きだと気づいた場面。つまり、泉にとって葉山先生の存在が変化した瞬間である。


泉は高校時代、いじめを受けていた。そしてこの朝、ふらっと「死んでしまおう」と思って家を出ていた。

そして駅のホームで決意する。この電車に乗って、いくつか行った駅で死んでしまおう。

そう思った時、偶然、葉山先生がホームに降りてくるのだ。

自殺を考えていた泉は、葉山先生の登場によって、思いとどまる。

……これだけ書くと、恋愛小説としてはやや陳腐に思えるかもしれない。自殺を考える駅のホームで、偶然好きな人がやって来るなんて。ちょっと出来過ぎな、わざとらしいエピソードに見えなくもない。

しかし『ナラタージュ』は決してこのエピソードを陳腐にしない。それはいくつかの素晴らしい演出があるからだ。

まず、右に述べたような「駅のホームでヒロインの自殺を男性が止める」エピソードを描くなら。いちばんぱっと思いつくのは、こんな場面じゃないだろうか。

自殺を考え、ふらっとホームの端に近づくヒロイン。しかし突然そこに現れた、意中の相手が彼女の腕をとる。何やってんだ、と彼は言う。はっとするヒロイン。

……こんな感じじゃないだろうか。

しかしこれでは、ありきたりエピソードの域を出ない。これでは名場面にならないのだ。『ナラタージュ』の良いところは、まず葉山先生がやってくる場所だ。泉が「この電車で自殺する駅まで行ってしまおう」と考える、その駅のホームであるところ。

泉は、いじめる女子たちが通りそうな、学校周辺の駅のホームで死ぬのは嫌だと考える。

だからこの電車でもう少し遠くまで行ってから死のうと思う。しかしそこに葉山先生は現れる。そして泉の状況も知らずにビデオを貸す。ふたりは映画好きという共通点を持っており、泉はよく葉山先生の好きなビデオを借りていたのだ。

この、さりげない場面設定が、次に効いてくる。泉は、ああもう学校に行くしかないと絶望しながら、それでも葉山先生と電車に乗る。

泉はひとりで電車に乗るつもりだった。しかし、葉山先生がホームに現れたことで、ふたりで電車に乗ることになる。

死ぬつもりでひとり乗る予定だった電車は、葉山先生の登場によって、もう生きるつもりで乗るしかない、ふたりの電車に変わるのだ。

そして泉は気づく。私は葉山先生のことが好きなのだ、と。

……この流れ、あまりに美しいと思いませんか。もう、「ふたりで乗ることになる電車」のドアが開く瞬間なんか、読んでいるこちらも泣きそうになる。つまり電車に乗り込む瞬間、それは泉が生きる方向に舵(かじ)を切るしかなくなった瞬間のことなのである。

直感的に、ああこの電車に乗るしかないと絶望しながら、それでもその電車に乗ることを選ぶ泉は、生きることを決める。

ちなみに凡庸な作家だと、この時点での葉山先生を「泉がすでに好きな人」という設定にしそうなものだ。なぜなら好きかどうかわからない相手がホームに現れたって、死を思いとどまるかわからないからだ。それよりは好きな相手が現れたほうが自殺をやめる話によっぽど説得力が出そうだ。

しかし、『ナラタージュ』は、電車に乗ってからはじめて、泉に葉山先生のことを好きだと気づかせる。なぜこう描いたのか。

そこには泉の価値観が反映されている。

泉にとっては、「この人の前では死ねない」と思えることこそが、好きだという感情だったのだ。

瞬間的に、あ、葉山先生の前で死ぬなんてできない、と思う。いくら死にたくても、この人を悲しませる、傷つけるようなことはできない。――それが泉にとっては恋という感情だった。

自分がそう思える相手ということは、好きなんだな、と後から気づく。ここに泉の性格が、たしかに反映されている。

自殺を思いとどまってはじめて「ああこの人のことが好きなんだ」って気づくという流れが、この名場面を名場面たらしめている。

葉山先生との出会いは、泉の人生を変えた。そんな泉にとって、葉山先生が特別な人になった、つまりは関係性の変化を描いた超重要場面である。

自殺するために向かう、光る線路は美しい。だけど、線路じゃなくて葉山先生と乗る電車のほうを泉は選ぶ。その一瞬の、ほとんど直感的な選択こそが、泉の人生をすくう。**主人公の性格と関係性の変化がぴたりと噛み合った**名場面である。

『ナラタージュ』という恋愛小説は、繊細で美しい場面がたくさん重なって構成されているのだが、なかでもとても繊細な描写のひとつだ。

恋愛とは人生を変えてしまう一瞬の直感であることを『ナラタージュ』は描く。

誰かと出会うことがエピソードの始まりだとすれば、**誰かとの関係性の変化は、エピソードが動いてゆく、とても重要な場面**だ。

その場面をできるだけありきたりなもので終わらせずに。**主人公が大切にしている価値観や出来事があったからこそ、変化が生まれた……という展開にできると、名場面になりやすい**のではないかと思う。

「私だからこそ選んだ選択肢」が、その関係性を変化させる、のだ。

ハードル

関係性に見合った大きさの危機を設定する

『塩の街』有川浩

物語のなかの恋愛といえば、ふたりに訪れる「危機」がいちばんの見どころだ。つまりは、「ハードル」＝ふたりを引き裂く障害のことである。

古今東西の恋愛物語を考えてみても、登場する「障害」は、枚挙に遑がない。『ロミオとジュリエット』ではふたりの間によこたわる、家同士の確執。映画『タイタニック』では、ふたりが乗るタイタニック号の沈没と身分の違い。**世の中の恋愛物語は、障害がないと始まらないのだ！**

ふたりの障害を描く場面がちゃんと面白ければ、物語はグッと盛り上がるものになるはずである。

今回紹介する「ハードル」の名場面は、『塩の街』というSF恋愛小説の一場面だ。

「来なくていいです、明日なんか。秋庭さんが行っちゃうならそんなもの要らない！

あたし、世界なんかこのままでいいもの！」

わがままでも身勝手でもいいんです、あたし、世界がこんなふうになっちゃってよかったって——だって世界がこんなことになってなかったら、

あたし秋庭さんに会えなかったから、

だから、秋庭さんに会うためにこんな世界になったんだったら、

それがどんなひどい世界でも許容してみせる。

ごく平凡な高校生と自衛隊の戦闘機乗り。正常に回っている世界だったら、この二つに接点はない。接点が変わってしまったこの世界なのだとしたら、この世界ごと。

（有川浩『塩の街』角川文庫、206ページ）

『塩の街』という小説は、全体的にとてもロマンチックな物語だ。こんなに恋愛をロマンチックに描く小説、最近では珍しいなあと感じるくらい。そんなロマンチック恋愛小説のなかで、もっともロマンチック指数がピークに達するのが、この場面だ。

第2章
ふたりはどの段階？

まずは『塩の街』のあらすじを説明しよう。

舞台は突然、世の中で「塩害」がひろまった世界。「塩害」とは、「感染すると人体が塩に変わって死ぬ」病気が流行している災害のこと。感染源もわからず、人々はなすすべもなく被害を受けた。

突然の塩害被害によって、東京は壊滅状態になっていた。

両親を塩害で亡くした高校生の真奈は、自衛隊に所属していた秋庭に保護してもらう。真奈と秋庭は、塩害によって被害を受けた東京の街で暮らすことになる。

しかし秋庭のもとへ、友人の入江が、ある計画の誘いにやってくる。


いうまでもなく、秋庭と真奈が恋愛になるかならないか、いやもうなるだろう、という関係性で小説は進んでゆく。

治安の悪くなった東京で、真奈は暴漢に襲われそうになる。彼女を秋庭が助ける。そして真奈に住む家のないことがわかると、ふたりは一緒に塩害の東京で日常を過ごすようになる。……もはやふたりの恋にハードルなんてないのでは!?　と感じるほど、自然とふたりは行動をともにする。

そもそも物語の舞台設定が、災害という危機的な状況。一般的な物語であれば、「ふたりは壊滅した東京をどうにか生き抜き、ふとした瞬間に恋人になりました。めでたし、めでたし」という話で終わってしまうかもしれない。

　しかし、ふたりにも「ハードル」は訪れる。

　転機となるのは、秋庭の友人として入江という男性が登場する場面だ。彼は聡明だが何を考えているかわからない男というキャラクターで、今は自衛隊の駐屯地司令官となっている。

　入江は、秋庭にこう投げかける。

「世界とか、救ってみたくない？」

　秋庭は航空自衛隊に所属していた時、パイロットとしての優秀さでその名を轟かせていた。その技術を使って、入江いわく「大規模テロ」を起こして、塩害を堰き止めよう、という誘いを受ける。

　なぜテロが塩害を止める手立てになるのかは、ぜひとも本編を読んでほしいところだが。航空機を使用したテロだ、命にかかわらないはずがない。

　そのことを知った真奈は動揺する。行かないでくれと懇願する。この時の流れが、ロマンチックSF恋愛小説の見せ所である。

恋愛小説のハードルは、ロマンチックであればあるほど、大げさであればあるほど、面白くなる。これを私は、「ハードルと恋愛の比例法則」とひそかに呼んでいる。

たとえば、『タイタニック』の舞台が豪華客船であること。あんなにも大きい船が沈むという、その危機の大きさ、ダイナミックさがあるからこそ、主人公たちの恋は反射してロマンチックに見える。おそらくみんな『タイタニック』と聞けば、船の上でローズが手をひろげ「I'm flying!」と言うシーンを思い出すのではないだろうか。あるいは有名なセリーヌ・ディオンの曲。決してささやかではない、思いっきりロマンチック度を高く振り切っているからこそ、あれは名場面になり得た。

あるいは『ロミオとジュリエット』も、実は戯曲を読んでみると、キャピュレット家とモンタギュー家の対立は、ちょっと大げさなくらいに強調されている。家と家が対立しているとはいえ、ここまで代々続く確執って、あるのか……？　とびっくりするほど、その溝は大げさに描かれる。さらに『ロミオとジュリエット』のなかでは、家同士の確執ゆえに、若者がうっかり死んでしまう。ふつうに読んでいたら「そんなことある!?」と驚いてしまうような大げさ展開だ。しかしそれくらい大げさに障害を描くからこそ、ロミオとジュリエットの若い恋は盛り上がって見える。

ハードルの高さは、ふたりの恋の大きさだ。

ハードルを乗り越えるふたりの恋が、ロマンチックな大恋愛なのだ！　と言いたかったら、ハードルをできるだけ高くすればいい。

ハードルの高さこそが、ロマンチックさを生むのだから。

だとすれば『塩の街』のハードルの高さは、ものすごい。ふたりの恋の前に横たわるのは、「秋庭が（テロによって）死ぬか、世界が（塩害によって）崩壊するか」の二択。

恋のハードルは、「世界の崩壊！」。

こんなに高いハードル、あるだろうか。

先ほど引用した場面で、真奈は、世界が崩壊しても秋庭に助かってほしいと述べる。世界よりもあなたのほうが大切だから。私はあなたのことが好きだから、あなたの命を助けるために、世界を捨てて！　究極の大恋愛である。ハードルが、「（塩害によって崩壊しかけている）世界」って、よっぽど追い込まれた状況ではないだろうか。

「ハードルが高ければ高いほど、大恋愛になる法則」のなかでも、究極のハードルの高さかもしれない。なんせ世界と天秤にかけられる恋愛なのだ。『塩の街』がいかにロマンチックに振り切った小説か、おわかりいただけただろうか。

恋のハードルが、世界。——この構造はしばしば他の作品でも見られる。たとえば新海誠監督による『天気の子』という映画もこのパターンだ。

物語は、「雨がやまなくなった」世界から始まる。陽菜（ひな）という女の子は、雨を止める力を持っている。しかしその力を使うことによって、彼女の体は徐々に消耗していき、主人公の帆高（ほだか）は、「世界を救うか、陽菜の体を救うか」を迫られる。

実はふたつの作品——『塩の街』と『天気の子』は、「世界を救うかどうか」という意味では、反対の結末を迎える。しかしどっちにしろ、「世界と天秤にかけられる恋愛」という構造は同じだ。恋愛の結末がどうなったかは、ぜひ本編で確かめてほしい。

恋愛のハードルが高いものであるほど、恋愛はロマンチックになる。

この法則は、さまざまなところで使われている手法なので、注目してみると面白いかもしれない。

もちろん、なんでもかんでもハードルを高くすればいいってものではない。

たとえば映画館で「ヒロインが死ぬ恋愛映画」の予告だけ見せられたら辟易（へきえき）するだろう。

病気や死は、これ以上ない大きな障害なのでよく使われやすい。しかしその使いやすさゆえに、必然性もないのに登場させるとチープな印象になる。登場人物がいきなり病気を明かしたりしたら「ご都合主義では!?」と感じてしまう。

しかし一方で、ハードルが低すぎる恋愛というのも、いまいち盛り上がりに欠ける。そんなすべてがうまくいく恋愛あるのか、と読者は疑ってしまう。

ささやかな日常のなかでも、私たちは少しのハードルで、不安になる。たとえ他人から見たらちょっとしたハードルであっても、本人は一日中頭を悩ませていたりもする。だとすれば、それをエピソードに落とし込んだらよいのだ。

ハードルは、そこらじゅうに散らばっている。何を拾ってくるかは、書き手次第だ。

恋愛小説の上手い作家は、ハードルの拾い方が、絶妙で、面白い。

おもいっきり災害のようなハードルに振り切ってくることもあれば、なんとなく訪れる倦怠期のようなハードルをもってくることもある。

その匙加減が、描かれている恋愛のサイズに合っていると、読者は違和感なく読むことができる。

そしてこれは恋愛に限った話ではない。たとえば就職活動のエントリーシートで「自分が頑張ったエピソード」を書く時も、どんなハードルを乗り越えたか？　を書く必要がある。

それは決してハードル＝乗り越えた出来事が大きければ大きいほど良いわけではない。あなたの演出したいエピソードに合った障害を書く必要があるのだ。

きっと恋愛小説の「障害」に注目すると、そのエピソードに合う障害の描き方がわかってくるはずだ。

恋愛におけるハードルを描く時、名場面になることが多い。だからこそ、**どんなハードルを物語の中心に据えるか――書き手の腕の見せ所**、なのだろう。

回想

回想する主体の思い入れこそが重要

『喜嶋先生の静かな世界』森博嗣

誰かと出会って、別れて、あるいは別れなくてもすったもんだを繰り返した時。主人公はたまにそれを、「回想」というかたちで語る。誰かとの記憶を思い出しながら、主人公は過去を語る。

回想。ああ回想。ちなみに私は回想大好きである。もう小説はぜんぶ回想形式でいいよ！　と言いたくなるほど好きだ。回想フェチである。

みんな過去を振り返ってほしい。過去のエピソードを反芻しながら、物語を語ってほしい。たくさん過去を、教えて、ほしい！

しかし回想にも、良い回想と悪い回想がある。

回想フェチから言わせていただくと、ただ主人公に過去を振り返らせるだけでは、だめだ。名場面もとい名回想（?）にはならない。

過去を振り返るにしても、ただの過去ではなく、ちゃんとグッとくる回想にしてほしい。

今回紹介する小説『喜嶋先生の静かな世界』のとある回想シーンは、そういう意味では「グッとくる」度、満点である。小説を読む時の楽しさってこれだよね、と頷きたくなる。

『喜嶋先生の静かな世界』は、作家・森博嗣による自伝的小説。主人公が研究者になるまでの道のりを、研究の師である喜嶋先生との関係を通して綴る。理系の研究者になるとは、そもそも大学で学ぶとはどういうことなのか。

物語は、主人公「僕」の回想で進む。大学に入った当初を思い出す場面から始まり、研究者になるまで、回想形式でどんどん時系列を進めてゆく。

僕も、そして喜嶋先生も、世間一般からすると「変わっている」と分類される人柄だ。基本的に抽象的な次元で物事を捉える。人間の感情の機微よりも、合理性を重んじる。研究だけを見つめて、真っ直ぐ進む。

読者にそのようなキャラクターだと伝えるには、小説の中で「キャラクターがわかるエピソード」を配置しなくてはいけない。

ただただ、口調を理系っぽくしたり、会話の内容を理系っぽくするだけでは、だめだ。

エピソードで、そうだとわからせてほしい。読者はそう望む。そして『喜嶋先生の静かな世界』はキャラクターを見せるエピソードの語り方がことごとく秀逸なのである。

たとえば僕も、喜嶋先生も、人の感情に鈍感であることが重ねて描かれる。その特徴のひとつに、僕も喜嶋先生も会話に言外の意味を求めない。ふつう、私たちは他人に言葉を発せられると、その言外の意味を読み取ってしまう。たとえばテストで「この問題がわからないよ」と言う人物がいると、「この問題は難しすぎる」「この問題は教えられてないよ」など、私たちはいろんな意味をそこに見出してしまう。だが僕も喜嶋先生も、他の意味なんて見出さない。単なる「わからない」という言葉だけを受け取る。そうやって、言葉の定義をぶれさせない、つまりは言葉に乗った感情を過度に読み取らないエピソードを描くことによって、彼らがいかに感情ではないものを重要視している人間なのかが伝わってくる。理系っぽいということは、イコール理屈っぽいというだけではないのだ。

回想フェチとして語ると、回想シーンの大切なところは、エピソードの切り取り方だ。現在進行形の話なら、AがBになった、と書くだけで話は終わる。でもそれが回想のなかならば、**回想の語り手が、どうしてそのエピソードを思い出しているのか。AがBになった話を主人公が思い出すのはなぜなのか——そこまで読者に理解させてほしい。**

なぜこのエピソードが、語りたい、思い出したい話なのか。そのエピソードは、語り手にとっていったい、何なのか。それを伝えるためには、**エピソードの切り取り方が、なにより重要になってくる。**

『喜嶋先生の静かな世界』の回想が美しいのは、この点がはっきり描かれているからだ。つまり僕が、なぜ喜嶋先生との関係を、今になって思い出しているのか。そして喜嶋先生という存在が、自分にとって、どういう人だと思っているのか。それが小説からひしひしと伝わってくるから、回想として満点！　と言いたくなる。

たとえば、僕の結婚式の場面。

僕は喜嶋先生に、スピーチを頼む。先生は嫌がりながらも承諾してくれる。「歌でもうたおうか」と言いながら。すると当日マイクを渡された喜嶋先生は、五分程度で終わればいいスピーチを、なんと二十分以上も話し続けてしまう。しかもその内容は、すくなくとも結婚式に来た人々には絶対にわからない、専門的な研究の話。

そして司会者に話を止められたあと、先生はカラオケで熱唱する。

喜嶋先生はこのあと、マイウェイを三番まで英語で熱唱された。先生の歌を聴いた

のは実に初めてのことだったし、その後にも、二度とない経験だった。僕は涙が出るほど嬉しかった。

この披露宴のときのビデオ撮影を、あらかじめ式場係に頼んでおいたので、一週間ほどしてそれが届いたとき、すぐに再生してみた。ところが、喜嶋先生の歌は全部カットされていた。世の中には価値のわからない人がいるものだ、と珍しく頭に来たので、僕は式場に電話をして、編集前のテープにそれが残っていないのか、と尋ねた。けれど残念ながら、テープを交換していたため、カメラが回っていなかったという。スピーチが予想外に長かったことと、そこで歌が入ることがスケジュール外だった、と丁寧に言い訳をされてしまった。このことは、僕の人生の中で、最高に悔やまれることの一つになった。

（森博嗣『喜嶋先生の静かな世界　The Silent World of Dr.Kishima』講談社文庫、355〜356ページ）

「結婚式のスピーチを頼んだら、やたら長いスピーチになった」「そして先生は歌を熱唱した」「式場が撮影したビデオには、その歌は残っていなかった」という話だけでも、良いエピソードだなとは思うのだが。

しかし、この場面の本当に良いところはそこではない。「世の中には価値のわからない人がいるものだ、と珍しく頭に来たので」という僕の主観の言葉が入っているところだ。

僕は、ほとんど怒ったり、感情を荒立てたりしない人物だ。しかしこの件に関しては（本人が言うように）珍しく、怒る。そして結局手に入らなかった先生の歌の映像のことを思い出し、「僕の人生の中で、最高に悔やまれることの一つになった」と締めくくる。

ただエピソードを並べるだけではなく、この僕の言葉があることによって、「喜嶋先生が自分にとってどのような存在だったのか」が、わかる。

僕にとって喜嶋先生は、ただの先生ではない。研究を教えてもらっただけではなく、そもそも僕に研究者という道を渡し、そして生き方を授けた唯一無二の存在だ。それは歌すらも保存しておきたい相手なのだ。他にいないから。

僕にとって、誰より代えが利かない存在。それが、喜嶋先生だった。

これがたとえば「ただ喜嶋先生が長いスピーチをして、僕は先生らしいなと苦笑した」くらいのエピソードなら、回想として描く意味などない。だって、先生に一般常識がないことくらい、他の場面でわかる。

そうじゃなくて、珍しく僕が怒ってしまうくらいに、その歌に価値を見出す僕の姿が、この場面のポイントなのだ。

読んでない人はぜひ読んでみてほしいのだが、『喜嶋先生の静かな世界』では、「社会」と「研究」が対立するものとして描かれる。

生きるために人々が上手く立ち回り駆け引きをする場としての社会。一方でその社会から隔絶された「静かな」場としての研究。

喜嶋先生の生活は、社会から離れた、学ぶこと、謎を解き明かすことだけを求めるものだった。そこは社会とは異なる場所だった。そんな場があることをいままで知らなかった僕は、すっかり飲み込まれる。そして喜嶋先生の研究世界に惹かれ、僕は大学院に進む。

しかし物語が進むにつれ、僕に「社会」がすり寄ってくる。研究を続けていくと、むしろ「研究生活を続けるために」社会に取り込まれてゆくことになるのだ。大学で研究を続けていくためには、たとえば研究費をちゃんと獲得したり、学生指導や大学の雑務をおこなったりすることが必要になる。それは喜嶋先生的な研究世界からは、離れる行為だ。しかし仕方ないのだ。僕も結婚する。子どもも生まれる。そうして僕は、社会のほうにどんどん近づく。喜嶋先生からはどんどん遠ざかる。

だけどそのなかで僕は願う。喜嶋先生だけは、そのまま静かな世界に、い続けてほしい、と。

社会から遠く離れた場所にいてほしい。

このような小説の流れを知ると、結婚式のエピソードは、まさに社会と研究（喜嶋先生の世界）が遠くにあることを伝える話だったのだ。社会は先生の長いスピーチを許容しない。先生の歌をビデオに収めない。社会は、「先生の、やたら長くて訳がわからないスピーチと歌を、価値のないものだとして切ってしまう」というかたちで、僕の前に現れる。

しかしこのとき僕は、社会の側にいない。なんて価値のわからないやつなんだと腹を立てる。僕は先生の価値を知っているのに。

僕は先生を心から尊敬している。僕が「社会は喜嶋先生の価値をわからない、でも僕はその価値がわかる」という信条をもっていることが伝わってくるからこそ、この結婚式のエピソードは印象的なものになっている。

「社会は、先生の価値をわからない。でも、僕だけは世界でただひとり、彼の価値をほんとうの意味でわかっている」

結婚式のエピソードは、そんな僕の姿勢を私たち読者に伝える。

――小説の結末を知っている身からすると、なんとも切なくて、グッとくる回想シーンだ。

僕は喜嶋先生と出会って、唯一無二の尊敬の感情を知って、そして師弟関係を結ぶ。『喜嶋先生の静かな世界』は、僕が師を得て、そして師から離れるまでの物語なのである。

回想は、どうしてそのエピソードを語ろう（あるいは思い出そう）としたのか、その理由がわかるようになっていてほしい。

私たち読者は、その過去があったからこそ、今こういうふうに思ってるのか！　とどきどきしながらページをめくりたいのだ。

『喜嶋先生の静かな世界』の結婚式のシーンは、私の読んできた回想エピソードのなかでも、最も美しい類の回想だと思っている。

片思い

「主観的」も徹底すれば面白い

『愛がなんだ』角田光代

小説と映画の違いは何かといえば、「一人称で語れるかどうか」。

もちろん小説と映画の違いはたくさんある。そもそも文章と映像では情報量が違う。触れている時間も違えば、物語の在り方も違うだろう。

しかし**あるエピソードを描く時、小説と映画で決定的に異なるのは、小説が「一人称」を使えること**だ。

小説は、主人公目線でエピソードを描くことができる。私たちが普段生きているのと同じように、誰かひとりの目線で物事を綴る。

一方で映画は、カメラがそこにある限り、基本的には「三人称」のメディアである。もちろん主人公目線の映像を撮ることもできるし、ナレーションなどで工夫はできるが、主人公と相手をカメラに収めていると、観客はそれを「三人称」の物語として受け取る。

百パーセント自分目線でエピソードを語れるのは、小説だからこそ、なのだ。

小説で片思いを描写する時、それが一人称の語りだからこそ上手く描けていることがある。角田光代『愛がなんだ』も、そのひとつだ。これは小説だからこそ描ける感情だなあ、と読んでいて、唸る。

『愛がなんだ』は、二〇一九年に岸井ゆきのさん主演で映画化され、すごく話題になっていた。だからもしかしたら映画としてしか知らない人も多いかもしれない。映画もすばらしかった。が！　私は、『愛がなんだ』は、小説こそ読まれてほしい！　そう心から思う。なぜなら、作中の片思い描写が傑作なのだ。

主人公・山田テルコは、友人が開催した飲み会で、マモちゃんという男性に出会う。ハンガーみたいに細いマモちゃんに、一気に恋に落ちてしまった。それからテルコの片思いの日々が始まる。マモちゃんに呼び出されたらすぐに彼のもとへ向かう。テルコのなかで彼が最優先になってしまったから、会社の仕事も付き合いも疎かになる。当然、周囲からの評判は下がる。それでもよかった。マモちゃん以外の出来事は、「どうでもいい」フォルダに入ってしまったのだから。

テルコの片思いは、はたしてどこへ向かうのか？　それはもはや恋なのか愛なのか、それともただの執着なのか？

テルコとマモちゃんの関係性を、テルコ目線で綴ったのが小説『愛がなんだ』である。

作者の角田光代さんを、私はものすごく小説が上手い人だと思っている。いや、みんな知ってるよ！　角田さんが小説上手いなんて今更だよ！　と怒られそうだ。それでも読むたびに、家族の物語でも、女性の一生でも、女の友情でも、なんのテーマの物語でも、「わあ小説が上手い」と思う。そんな角田光代作品のなかでも『愛がなんだ』は、読み返すたび、とくに胸がきゅんとしてしまう。そもそも傑作だが、それ以上に、テルコのとめどない衝動、パワー、そしてそれを成立させる説得力がすさまじい。

若いころ特有の、意味のわからない片思いパワー。なぜか恋愛至上主義になってしまう主人公たち。『愛がなんだ』が描くそれらの背後にあるのは、若さを持て余したエネルギーと、それを誰にもぶつけられない孤独だ。

人はエネルギーが余ってないと、「好きな人が、ぜんぜん自分のことを好きじゃない」という孤独に耐えられない。体力がない状態だと、自分のことを好きそうではない相手を、わざわざ追いかけようという気にならない。つまり片思いをするということは、孤独に耐えられる頑丈さを持っている証だ。

片思いの、ひりつくような孤独に耐えられるのは、心も体もちゃんと若いからだ。――『愛がなんだ』は、そんな若さをこれでもかと描く。

『愛がなんだ』の、テルコとマモちゃんのエピソードは、どれもすごく良い。たとえばマモちゃんと飲んだ後の話。

テルコは内心マモちゃんの家にこのまま転がり込みたいと思っているのだが、そんなことを期待してはいけないと下心を抑え込む。深夜にたっぷりごはんを食べ、お酒を飲んだ後、マモちゃんとテルコは、タクシーを待つ。

「タクシー全然こないね」マモちゃんが言う。夜空は紫色だ。切り込みを入れたみたいな細い月がかかっている。冬はまだ先なのに、町は冬のにおいがする。

「あ、きたきた」マモちゃんは言って道路に走り出る。「山田さん、うちくる?」片手をふりまわしながら、いやになるくらいさりげない口調でマモちゃんは言う。

「へっ、いいの?」

あんまりにも予想外の問いに驚いて、私の声は裏返っている。

「タクシーこないし、いっしょに乗っちゃおうよ」

マモちゃんは言う。タクシーは私たちの前でとまり、マモちゃんが私を先に乗せる。

自分も乗り込んで、世田谷代田お願いします、低い声で言う。

世田谷代田、どの道つかいます？　あ、空いてそうなとこならなんでもいいっす。

後部座席で私は放心したまま、運転手とマモちゃんのやりとりを聞いている。期待しないように。放心しながら、頭の一番冷えている部分で私はくりかえす。始発電車で帰れと言われるかもしれないのだし。やっぱ帰ってくれるかな？　と、着くなり言われるのかもしれないいんだし。

「あーねむ」

私が必死で考えている悲観的仮定とはしかしまったく無関係に、マモちゃんは座席からずり落ちそうな姿勢で目を閉じる。やがてしずかな寝息が聞こえてきて、ひどくとんちんかんだけれど、もし生まれ変わるのなら田中守になりたい、なんて、そんなことを思った。

（角田光代『愛がなんだ』角川文庫、43～44ページ）

このエピソードのいちばんの肝は、最後の一文だ。テルコの片思いを的確に描写している。

「やがてしずかな寝息が聞こえてきて、ひどくとんちんかんだけれど、もし生まれ変わるのなら田中守になりたい、なんて、そんなことを思った」。

ふつう、こんな台詞は出てこない。だって、片思いの相手に対して願うのならふつうは「彼になりたい」ではなく「恋人になりたい」だろう。

だがこの台詞が出てくることこそが、小説『愛がなんだ』の大切な核なのだ。


タクシーに乗ったテルコは、今日は彼の家に泊まれるかどうか考える。期待しないでおこう、と必死に思う。

しかしそんな自分の思惑なんて知らず、ただマモちゃんは軽い眠りに落ちる。

そんなふうにテルコとマモちゃんは、まったくもって別の個体——違う人間だから当たり前なのだが——であることを、あらためてテルコは確認する。

「こっちはこんなにあなたに思いを掛けているのに、それをまったくあなたは知らないのだな」と。

そうしてテルコはマモちゃんを他者だと実感したところで、ふと「彼が他者じゃなくて、自分ならいいのに」と、思う。

だからテルコは言うのだ。「ひどくとんちんかんだけど、もし生まれ変わるのなら田中守になりたい」と。

片思いは、相手が自分の思い通りにいかない完璧な他者だからこそ生まれる感情だ。だからふと願ってしまう。ああ、この他者性を、なくせたらいいのに、と。

——片思いの究極の願望だなあ、と私はこのシーンを読んで感じたのだった。

しかしこの感情の流れは、なかなか映像では説明しづらい。いや説明してもいいのだが、文章で、ここまでテルコ目線の描写があったからこそ「もし生まれ変わるのなら田中守になりたい、なんて、そんなことを思った」という一文が読者に説得力をもって迫ることが可能になる。

自分の思惑なんてまったく知らない田中守を見つめ、テルコは思う。この人が他者じゃなくて自分ならいいのに、と。それは片思いの願望としては正解ではないのだろう。だから「とんちんかん」とテルコも言う。それでも、正直なテルコの言葉だ。もはや、彼が他者じゃなけりゃいいんだ。彼のことを考えすぎたら、そんなふうに思ってしまうこともあるだろう。

小説の最後に、テルコのモノローグとしてこんな一文が登場する。

私はただ、マモちゃんの平穏を祈りながら、しかしずっとそばにはりついていたいのだ。

（同前、211ページ）

『愛がなんだ』で描かれる「片思い」の在り方は、ちょっとどうかしている衝動的なエネルギーを、他者にぶつけてしまう、そしてそれが執着として続いてしまう、その過程そのものである。

決して恋愛がゴールの話ではない。

恋愛をしたい、という一般的欲望の隠れ蓑（みの）をまとった、自分の孤独と衝動を、自分ではない他者にぶつけるテルコ。

それを人は「恋愛」とか「片思い」と呼ぶのかもしれないけれど、私からするともっと原始的な、他者と自分の輪郭をなぞり、そしてその溝を埋めようともがく行為に見える。

『愛がなんだ』はその欲望を、徹底したテルコの**一人称目線で描くからこそ、片思いを描いた小説の傑作になっている。**

孤独
出会う前の描写が出会いを引き立てる

『蹴りたい背中』綿矢りさ

もし「孤独を表現した小説の名場面」を日本人に募ったら、確実にこれがランクインするはずだ。もしかすると一位に君臨するかもしれない。

さびしさは鳴る。耳が痛くなるほど高く澄んだ鈴の音で鳴り響いて、胸を締めつけるから、せめて周りには聞こえないように、私はプリントを指で千切る。細長く、細長く。紙を裂く耳障りな音は、孤独の音を消してくれる。気怠げに見せてくれたりもするしね。葉緑体？　オオカナダモ？　ハッ。っていうこのスタンス。あなたたちは微生物を見てはしゃいでいるみたいですけど（苦笑）、私はちょっと遠慮しておく、だってもう高校生だし。ま、あなたたちを横目で見ながらプリントでも千切ってますよ、気怠く。っていうこのスタンス。

（綿矢りさ『蹴りたい背中』河出文庫、7ページ）

誰でも知ってる（よね？）、『蹴りたい背中』の冒頭である。

綿矢りさ、十七歳で鮮烈なデビュー。十九歳で芥川賞を受賞し、最年少受賞記録を更新。そんな肩書きが有名なのかもしれないが、それ以上にこの書き出しが小説として秀逸だからこそ、ここまで有名になったのだ。「さびしさは鳴る」、この言葉だけでグッと刺さる人は多いだろう。

一方で、この場面が「何を言っているのか」を知っている人は、意外に少ないのではないか。

さびしさは鳴るという書き出しがキラーフレーズすぎて、もうそれだけで十分満足。だが、『蹴りたい背中』という小説の面白さは、この冒頭の名場面を読み解いた先にあるのだ。

「さびしさは鳴る」の書き出しのあと、小説は以下のように続く。

黒い実験用机の上にある紙屑(かみくず)の山に、また一つ、そうめんのように細長く千切った紙屑を載せた。うずたかく積もった紙屑の山、私の孤独な時間が凝縮された山。顕微鏡の順番はいつまで経(た)っても回ってこない。同じ班の女子たちは楽しげにはしゃぎながら、かわりばんこに顕微鏡を覗きこんでいる。彼女らが動いたり笑ったりする度に舞い上がる細かい埃が、窓から射す陽を受けてきらきらと美しい。これほどのお日和なら、顕微鏡もさぞかしくっきり見えることでしょう、さっきから顕微鏡の反射鏡が太陽光をチカチカと跳ね返して私の目を焼いてくる。暗幕を全部引いてこの理科室を真っ暗にしてしまいたい。

（同前、７〜８ページ）

冒頭の場面が何を言っているのか、読み解いてみる。主人公は「さびしさは『鳴る』」、だからその音を消すために、「私はプリントを指で千切る」のだと言う。

主人公はなぜその音を消したいのか。それは、「せめて周りには聞こえないように」。つまり周りに孤独だと知られるのが、嫌だからだ。

この周りとは誰か。それは、同じ理科室で授業を受けている、同級生たちである。

この場面は、主人公が生物の授業で「適当に座って五人で一班を作れ」と言われたところから始まる。生徒たちはすぐさま空気を読みながら班を作る。しかし主人公は班作りから加からあぶれる。友達がいないから。そして三人組のグループに、付け足すように、ひとり加わることになる。

最初から班を作っていた三人の女子たちは、楽しげに顕微鏡を覗きこむ。だが主人公に顕微鏡を覗く番はまわってこない。三人の仲間ではないから。――孤独だ。その孤独を紛らわすために、主人公は、プリントを千切る。

三人の女子たちがオオカナダモの葉緑体を顕微鏡で見ている一方で、私は細長い紙切れの山を作る。細胞と紙切れ、細長いフォルムが似ているところがちょっとしたポイントだ。

「●人一組で班を作って～」と言われた教室で自分だけあぶれてしまう。日本の学校生活においてもっとも孤独を感じるシチュエーションのひとつだろう。だからそれを隠すように、主人公はプリントを千切る。『蹴りたい背中』は、そんな場面から始まるのだ。


主人公の名前はハツ。

彼女はこの孤独な理科室で、ある男子と出会うことになる。

五人一組の班で、自分と同じようにあぶれている、もう一人の班員だ。

男子の名はにな川。彼は、ある女性向けファッション誌を読んで、実験の時間を潰していた。それはどう考えても一般的男子高校生が読むような雑誌ではない。ハツはにな川に興味を持って声をかける。彼が読んでいたファッション誌に載っていたモデルを、駅前で見かけたことがあったから。

「私、駅前の無印良品で、この人に会ったことがある。」

そう言ったハツを、にな川は、「がらんどうの瞳」で見ていた。

『蹴りたい背中』は、まとめてしまうと、「ひとりだったハツが、にな川という他者とはじめて出会う」までの小説である。

さびしさが鳴る音しか聴こえなかった、孤独だった主人公が、はじめてちゃんと他者をつかまえる、つかまえたいと思う相手を見つける話なのだ。

といっても、にな川とハツが恋人になったり、濃密な交流をするわけではない。ふたりの関係は、最終的には世にも有名な「にな川の背中を、ハツが蹴る」場面で終わる。


同じ景色を見ながらも、きっと、私と彼は全く別のことを考えている。こんなにきれいに、空が、空気が青く染められている場所に一緒にいるのに、全然分かり合えていないんだ。

寝巻き姿のおじいちゃんが家の下の道路を歩いていき、電信柱の下にゴミ袋を置いていった。朝が始まる。中途半端な寝不足で迎える、無気力な朝。空は白っぽくなっていき、気温がむくむくと上がって、昼になったらどれだけ蒸し暑くなるのかなんとなく想像のつく朝だ。朝陽がまぶしくて、だるい。

「ライヴに一緒に来てくれてありがとう。」

「別に、暇だったし。」

「おれさ、理科室で長谷川さんに、〃このモデルと会ったことがある〃って言われた時、はめられた！って思ったよ。」

「はめられたって、何に？」

「なんか、大きいものに……巨大などっきりプロジェクトに。」

になな川は両手で大きな輪を描くような、よく分からない身振りをした。風に揺れるぼさぼさの髪が、ベランダの薄汚れた壁と白い空を背景にして、毛先までくっきりと黒い。

「電撃だった、全身の毛穴が開いたって感じだった。

……あーあ。楽屋口で、おれ、暴走して、怒られて、ただの変質者だったな。」

（中略）

川の浅瀬に重い石を落とすと、川底の砂が立ち上って水を濁すように、〃あの気持ち〃が底から立ち上ってきて心を濁す。いためつけたい。蹴りたい。愛しさよりも、もっと強い気持ちで。足をそっと伸ばして爪先を彼の背中に押し付けたら、力が入って、親指の骨が軽くぽきっと鳴った。

（同前、１７０〜１７２ページ）

これは『蹴りたい背中』終盤の場面なのだが、ハツはにな川を見て、「同じ景色を見ながらも、きっと、私と彼は全く別のことを考えている。こんなにきれいに、空が、空気が青く染められている場所に一緒にいるのに、全然分かり合えていないんだ」と感じる。つまり、にな川が、自分と違う人間であることを実感する場面だ。こんなふうに同じものを見てても、違う存在なのだ、と。

冒頭では自分のさびしさの音を聴いていたハツだったが、にな川と出会うことで、はじめて他人――にな川が何を考えているかに思いを馳(は)せる。

そして何を考えているかわからないにな川に対して、ハツは、背中に足を押し付ける。

背中を蹴ること。それがこの小説の、「他者と出会う」ことを表現した、つまり他者を発見するシーンなのだ。

なんでわざわざ「背中」を蹴るのか。それは、にな川が他者だからである。

ハツはにな川のほうを向いているが、にな川はハツのほうを向いているわけではない。にな川はオリチャン（彼が夢中になっているモデル）のことを考えている。つまり、別にお互いがお互いのことを想っているわけではないのだ。

そんなにな川に対して、すこしでも影響を与えようと、ハツは、せめて彼の「背中」を蹴る。

にな川は、孤独だった主人公がはじめて見つけた、「蹴りたい相手」だった。つまりはちゃんと関わりたいと思った他者なのだ。

タイトル『蹴りたい背中』は、「孤独だった私がはじめて出会った、関わりたいと思った他人」をものすごく文学的に表現した言葉なのである。――身も蓋もなく言ってしまえば、「はじめてムラッときた相手」みたいな感じです。ね、文学的だよね。

その証拠にこの場面、冒頭の場面からの対比が上手く効いている。

にな川の背中を蹴る。すると「親指の骨が軽くぽきっと鳴った」。

冒頭ではさびしさの音を聴いていたハツが、今度は、背中を蹴った爪先の音を聴く。それはハツにとって、はじめて他者と関わろうとした音である。

『蹴りたい背中』は、さびしさの音が鳴っていたところから、他人の背中を蹴ったその音が鳴るようになる話なのだ。――いい表現だと思いませんか。「孤独だった主人公が、関わりたい誰かを見つける話」なんてこの世にごまんとあるけれど、それを自分のなかに鳴る音で表現した物語はなかなかない。美しいですよね。

『蹴りたい背中』は、教室でお互い孤独だった、自分の世界に他者のいない高校生たちが、はじめて誰かと出会う物語だ。

だからにな川は、冒頭で理科室でハツから「このモデルと会ったことがある」と言われた時のことを「電撃だった、全身の毛穴が開いたって感じだった」と表現する。

そしてハツは、そんなにな川の「背中を蹴る」音を、聴く。

ふたりが、はじめて他者と出会う瞬間を描いて『蹴りたい背中』という物語は終わる。

小説でなんらかの関係性を描く時、まずはそのふたりが出会っていない「孤独だった時期」を描いてから出会いのシーンに至ると、その出会いがいかに大切なものだったのかわかる。

「さびしさの音」を聴いてから、「親指の骨が鳴る音」を聴くからこそ、読者はハツとにな川の出会いの重要性を理解することができるのである。

冒頭の「さびしさは鳴る」という文章を読者は忘れない。忘れられないほどのインパクトを持った書き出しだ。だからこそ背中の鳴る音の意味に、読者はふと気づく。他人の声が聴こえないから、さびしさは「鳴る」。その孤独の表現こそが、ふたりの出会いを際立たせているのだ。

別れ

関係性のまとめを名台詞にこめて

『ジョゼと虎と魚たち』田辺聖子

いままで「出会い」や「片思い」など、さまざまな人間関係の展開をご紹介したが、その最後にふさわしいテーマ。今回は「別れ」の場面だ。

古今東西、別れといえば、さまざまな名場面がある。

たとえば映画の『カサブランカ』。世にも有名な「君の瞳に乾杯」という台詞は、『カサブランカ』の別れのシーンの決め台詞。イングリッド・バーグマン演じるイルザが美しくて美しくて、「なんでこの美しい女性を目の前にして別れを決意できるのか！」と絶叫してしまいそうになる場面だ。まあ、だからこそ主人公の男の美学が際立つわけですが。

あるいは、同じく映画であれば『スタンド・バイ・ミー』でゴーディが「さよなら」というと、クリスが「またなって言えよ」と返すシーン。いやもう名台詞！　少年たちの切ないけれど、ちょっとやさしい別れを表現した台詞になっている。

「別れの場面」を思い浮かべるだけで、ありとあらゆる物語の名場面が頭をよぎる。

そう、別れの場面には、ドラマチックな名台詞がつきもの。別れは、名台詞の親なのだ。

つまり——**「別れ」は、台詞に込められる。**

あらためて小説の海を見渡してみた時、私がいちばん好きな「別れ」の描写もまた、名台詞とともにあった。

田辺聖子の「ジョゼと虎と魚たち」という短編小説がある。実写映画やアニメ映画にもなっていて、原作小説も映画もどちらも本当に素敵な作品なのだが。

なかでも小説と実写映画でいちばん違うのが、別れの描き方だった。

「ジョゼと虎と魚たち」の主人公は、自分のことをジョゼと名乗る女性。足が不自由で、車椅子がないと動けない。彼女と恋人関係になるのが、ひょんなことからジョゼと関わることになった大学生の恒夫(つねお)だった。

ふたりは恋人になる。恒夫は大学を卒業し、ジョゼと同棲するようになる。

小説は、ふたりの別れをはっきりと描かない。

しかし実写映画は、ふたりが別れたことをはっきりと描いた。「結局、ジョゼと恒夫はうまくいかなかったけれど、それでもジョゼは元気で暮らしている」ということを示唆するラストシーンで終わる。

小説は、読者に別れを予感させるだけだ。実際にジョゼと恒夫が別れるかどうかはわからないが、限りなく別れるであろう可能性が窺える。

その場面で、ある名台詞が登場する。映画にはない台詞だ。

ふたりはリゾートホテルの一室に泊っている。その部屋からは、ガラス越しに水族館の水槽が見える。その夜、ジョゼはひとりでふと目をさます。

夜ふけ、ジョゼが目をさますと、カーテンを払った窓から月光が射しこんでいて、まるで部屋中が海底洞窟の水族館のようだった。

ジョゼも恒夫も、魚になっていた。

——死んだんやな、とジョゼは思った。

（アタイたちは死んだんや）

恒夫はあれからずうっと、ジョゼと共棲みしている。二人は結婚しているつもりでいるが、籍も入れていないし、式も披露もしていないし、恒夫の親許へも知らせていない。そして段ボールの箱にはいった祖母のお骨も、そのままになっている。

　ジョゼはそのままでいいと思っている。長いことかかって料理をつくり、上手に味付けをして恒夫に食べさせ、ゆっくりと洗濯をして恒夫を身ぎれいに世話したりする。お金を大事に貯め、一年に一ぺんこんな旅に出る。

（アタイたちは死んでる。「死んだモン」になってる）

　死んだモン、というのは屍体のことである。

　魚のような恒夫とジョゼの姿に、ジョゼは深い満足のためいきを洩らす。恒夫はいつジョゼから去るか分からないが、傍にいる限りは幸福で、それでいいとジョゼは思う。そしてジョゼは幸福を考えるとき、それは死と同義語に思える。完全無欠な幸福は、死そのものだった。

（アタイたちはお魚や。「死んだモン」になった――）

と思うとき、ジョゼは（我々は幸福だ）といってるつもりだった。ジョゼは恒夫に指をからませ、体をゆだね、人形のように繊い、美しいが力のない脚を二本ならべて安らかにもういちど眠る。

（田辺聖子「ジョゼと虎と魚たち」『ジョゼと虎と魚たち』
角川文庫、２０３～２０４ページ）

　私があらゆる小説の別れの場面のなかで、いちばん好きな文章だ。なんといっても、名文としか言いようがないのが、ここ。

「ジョゼは幸福を考えるとき、それは死と同義語に思える。完全無欠な幸福は、死そのものだった。

（アタイたちはお魚や。「死んだモン」になった――）」

「別れ」を予感させる場面として、なんて美しい台詞なんだろう。

　ジョゼは、今この幸福をかみしめていて、でもそれが永遠に続くわけではないことをわかっている。しかしどこかにある別れが来るまでは、その幸福にたゆたうと決めている。人と出会って別れることそのものに対する、ジョゼの覚悟や諦め、そしてこれまでの恒夫との関係において内省してきた時間が、すべて伝わってくるのだ。

　ジョゼは、ただこの幸福をいまは享受する。それはいつ来るともしれない別れが大前提にあるけれど、でも、それでいいのだ、とジョゼは感じている。

　死ぬことみたいな、完全無欠の幸福を、いまはただ享受する。……この台詞には、「恒夫とジョゼの関係」が内包されている。

　この台詞が私たちの心を打つのは、ジョゼの、恒夫に対する情がこれでもかと伝わってくるからだ。
ジョゼにとって、「恒夫の存在は、自分の人生で一瞬登場した、思いがけない幸福だった」ことが、伝わってくるのである。

誰かと別れる際、私たちは「その人が自分にとってどんな存在だったか」を考える。

だからこそ、**別れの場面は、相手と自分の関係をどういうふうに捉えていたのかが、表現されやすい。**

そのふたりが、どんな関係を構築していたのか。それが伝わってくるから、別れの場面には名台詞が登場しやすいのだ。

たとえば、冒頭で挙げた『カサブランカ』の「君の瞳に乾杯（"Here's looking at you, kid."）」。実はこれ、別れの場面以外にも繰り返し唱えられてきた台詞なのだ。だからいざ別れる時に同じ台詞を唱えることが効果的になる。それまでのふたりの関係性が大前提として存在する。

あるいは『スタンド・バイ・ミー』の「またなって言えよ（"Not if I see you first."）」には、ふたりがこれまで気軽に会える仲であったことが表現されている。いままではまたなって言えたのに、今回は、そう言えない。だから名台詞になり得る。**別れの場面は、もっとも関係性を表現する台詞が、生まれやすい。**

別れの際、相手をどのような存在だと思っていたか、が表現される。滲み出るように、関係性が、まとめられる。**別れの時にはじめて、自分にとってどういう存在だったかわかる。**

それをうまく表現した言葉こそが、「別れの名台詞」になり得る。

ジョゼにとって、恒夫は、いつ失うかもわからない、しかし失うことが前提にある、まるで死のような、「完全無欠な幸福」に達した一点だった。

それがなにより読者に伝わるからこそ、このラストシーンは、名場面であり、名台詞であり続けるのだろう。

第3章 事件はどこで起きてる？

——場面設定を書く——

学校

主体から見て気になる部分を書く

『図書室の海』恩田陸

これまで「さまざまな関係」「関係性の変化」、つまりは人間関係をどう描くか、というところに焦点を当てて名場面を紹介し解説してきた。物語は、人間関係のなかで進むことが多い。主人公がいて、その周囲に人間がいて、その関係性が変化しつつ、物語が展開される。関係性の種類はたくさんあるし、物語のなかでどれくらい関係性が変化するのかも、物語によって異なるだろう。

しかし一方で、**「では主人公が今どういう状況にあるのか？」を語ることもまた、小説において大切な作業**だ。

人間関係や起こった出来事ではなく、主人公がいる場面設定の描写。それこそが小説に奥行きをもたらしている。

なぜなら、小説には映像や絵が存在しないから。

映画や漫画ならば、主人公がどこにいるかを語るのは、主人公の背景である。学校のセットのなかで撮影されていれば学校の話だとわかる。会社の絵が描かれていれば、主人公は会社にいるんだとわかる。その背景がある程度きちんと描かれて、あるいは映っていれば、納得できる。

でも、小説の場合は違う。

状況をわかってほしいなら、わざわざその描写を書き込まなくてはいけない。

小説というものは「何を書いて」「何を書かないのか」、ものすごく作者の裁量が大きい媒体だ。映画なら背景は基本的に画面に映る。でも小説は、わざわざ見せたい背景のみを文章で書く。見せたくない背景は書かなくていい。

ならば、主人公の状況を、小説たちはどう描いてきたか? 映画や漫画の「背景」に当たる部分を、はたして小説はどうやって綴ってきたのだろう?

本章で「場所の描写」の魅力について考えてみたい。

紹介するのは、「学校」の描写だ。

学校。それは簡単なようで難しい場である。学校といえばある程度、共通認識が存在する。共通する学校のイメージが自分のなかにある。

そしてなにより、本当にたくさんの物語の舞台になる。「学校」以上に物語の舞台になっている場なんて存在しないのでは!? と思うほどだ。

だからこそ、学校でなにかしら起こる物語を読む時、「いい学校描写」に出会うと、私は嬉しくなってしまう。

自分がよく知っている場所だからこそ、ああ学校の匂いがちゃんとする小説っていいなあ、と思う。学校の、ノスタルジックでありつつ、それでいて手触りのある描写。それを読む時、映画で単に学校の風景を映されるだけでは感じない、なんともいえない切なさや懐かしさがこみあげてくるのだ。

実例を紹介しよう。恩田陸の短編集『図書室の海』所収の「図書室の海」に収められた一場面だ。

図書室は重い木の引き戸の向こうである。

二階の外れ。ぽっかりと開けた空の向こうには、ケヤキの木のてっぺんがこんもりと広がっている。

この高校は高台にある。古くは城跡だったというだけあって、遠くから見ると要塞(ようさい)に見えないこともない。しかし、校舎の内側からは、生徒の注意を散らさぬためなのか、外の景色がほとんど見えない。見えるのは空だけだ。

夏はこの図書室が好きだ。校内には幾つかお気に入りの場所があるが、中でもここが一番好きだった。

特に、戸を開けて入った瞬間の開放感が心地好い。特別教室特有の広さ、天井の高さ。

ここは海に似ている。

夏はいつもそういう錯覚を感じる。

なぜか、この部屋に入ると、海原に出た船に乗っているような気分になるのだ。

図書室と言えば読書というよりも勉強している生徒が目立つものだが、この高校の場合、別の場所に独立した自習室があるため、図書室は意外と空いている。

重く大きな古い机と椅子。机にはあまりにも多くの文字が卒業生によって刻みこまれており、もはや判別不能である。

（恩田陸「図書室の海」『図書室の海』新潮文庫、217〜218ページ）

図書室の匂いや、差し込んでくる光の加減まで伝わってくる情景描写である。

この、感覚ごと連れて来るような描写は、やっぱり小説だからこそできることではないか。

当然だが私は行ったことのない図書室なのに、なぜか懐かしさすら感じる。

まず、図書室の場所の説明から入っているのが良い。たとえば会社だったら、いつも勤務するフロアってほとんど一緒だったりするし、家なんかも場所は変わらない。でも、学校って、かなり「自分が移動する場所の多い」建物だ。つまり、学年によっても教室の場所は違うし、休み時間ごとに音楽室や図書室へ移動したり、放課後は部活のために体育館に行ったりする。学校とは移動するための場所なのだ。

だからこそ、「そこに移動することが前提」である図書室の情景を描く時、その場所のありかを説明する。「二階の外れ」と。

そして学生時代って、たしかに窓の外をよくぼーっと見ていることが多い。それこそ会社などと比べて、学校って窓が身近なのだ。だからこそ窓の外の景色について語る。

なにより秀逸なのが、「特に、戸を開けて入った瞬間の開放感が心地好い。特別教室特有の広さ、天井の高さ。ここは海に似ている」という文章だろう。図書室が海に似ているだなんて、そんな場所、学校にあったら嬉しいに決まっている。だけどその「海に似ている」という比喩だけじゃなくて、ちゃんと「特別教室特有の広さ、天井の高さ」とどういう空間か説明しているところがいい。

……ここまで解説してきて、おわかりになる方もいるかもしれないが。

この描写、すべて**「主人公の高校生から見て気になるところ」によって語られるポイントが決まっている**のである。

つまり、単に図書室の情景を描写しているわけではない。**高校生目線で、なんとなく目にとまるところを選んで描写している**のだ。

単なる情景描写に見えて、徹底的に、語り手の目線は高校生にチューニングされている。たとえば「重い木の引き戸」や「戸を開けて入った時の開放感」という記述は、実際に主人公が図書室に入っていく動作の記述（たとえば「夏は今、図書室に足を踏み入れた」など）がなくとも、主人公が図書室に入る時に感じることがわかるようになっている。

さらに図書室の場所や窓の外の風景、図書室の空間の記述は、ちゃんと高校生目線でどういうところが気になるか、おそらく考えられて書かれている。

だからこそ読者も、読んでいるうちにふわっと高校時代に戻ったような気になって、高校生目線で図書室にいっしょに入ることができるのだ。

単に小説に必要だから、図書室を描写するのではない。きっともっと単調な図書室の風景を描くこともできた。だけどこの小説にとって図書室は特別な場所だから、ちゃんと主人公の目線にあわせて、図書室の空間そのものを描いた。

それは図書室という場が、単なる背景ではなく、主人公にとって手触りのある場所であるからだ。

学校の風景を描く時。学校というものが誰でも想像できる、なんとなくイメージできる場所だからこそ、**主人公が学校の空間をどう感じているのか、なにに焦点を当てているのか、伝わってくる描写**だと嬉しくなってしまう。

なぜならそれは、なにより大切な、登場人物がここにちゃんと存在している、という説得力にも繋がるから。

名場面
16

食卓

アイテムの選択が解像度を左右する

『何様』朝井リョウ

小説を読む快楽のひとつに、**「人間に対する解像度の高い物語を読むこと」**がある。というか、私はほぼそれを楽しみに読んでいる、といってもまったく過言ではない。

「人間ってこうだよね」「世界ってこうだよね」「人生ってこうだよね」という、小説から漂ってくる、きめ細かな作者の理解に触れると、ものすごく癒やされる。自分は孤独じゃないなあ、と感じる。ちゃんと人間のことを深く細かく理解してくれている人が、ここにいる。とにかく、解像度の高い物語が読みたい。人間に対する解像度、そして世界に対する解像度の、高い話。

反対に、小説を読んでいていちばんがっかりする瞬間が、「に、人間に対する解像度が、低いっ……」と愕然（がくぜん）とする時。そりゃちょっと雑すぎるんじゃないか、という行動をキャラクターがし始めると、途端に読者としては萎える。そういうものを読みたいわけじゃないのだ……とページをぱたんと閉じることになる。

では、人間に対する解像度は、何によって示されるものだろうか？

登場人物の台詞である場合もあるし、行動の場合もあるだろう。でも私は、ちょっとした風景の描写にも、解像度の高さというのは出てくるものだと思っている。

次に紹介するのは、はじめて読んだ時に「解像度が、高い！」と感動した、とある食卓の場面だ。


朝井リョウの『何様』に収録された短編「それでは二人組を作ってください」のなかの一場面。

主人公の大学生・理香は、社会人の姉とふたり暮らし。しかし姉は、もうすぐ彼氏と同棲するため、このアパートを出て行くのだと言う。理香は姉のかわりにルームシェアする友達を見つけなくてはいけない。

紹介する場面は、姉と理香の朝食シーンだ。


「あんたいま彼氏いないんだっけ？」

「いないって」理香は軽く笑いながら続ける。「ルームシェアしてみたいって言ってた子いたから、その子誘ってみるつもり。おしゃれでセンスいい子だから、多分楽しいと思うんだよね」

ふうん、と特に興味もない様子で、姉はティッシュで口を拭いた。姉は、納豆を一口食べるたびにティッシュで口を拭う。何かをこぼしたときも、布巾ではなくティッシュを使う。にも拘わらず、ティッシュを買い足しているのはいつも理香だ。ティッシュをよく使う人は、ティッシュというものはお金を出して買わないと手に入らないという事実を見落としているような気がする。

姉の携帯から、〝ユカコ〟と〝圭兄〟の声が聞こえてくる。読者モデルとクリエイティブデザイナー。

ログハウスライフのティッシュは誰が買い足しているんだろう。ふとそう思ったとき、奥歯に挟まっていた玄米ブランがころりと取れた。

（中略）

姉は、かつて理香が留学することを決めたとき、すぐに理香の代わりの同居人を見つけてきた。姉には、二人きりであっても気兼ねなく話せる女友達が複数いる。

左手で腹を撫でながら、右手でスプーンを持ち上げる。このあと、ヨーグルトも食べておこう。

姉がアパートを出る。その話をされてからずっと、便の出が悪い。

（朝井リョウ「それでは二人組を作ってください」『何様』新潮文庫、79〜81ページ）

「ログハウスライフ」とは、いま理香が観ている、ルームシェア番組の名前である。引用からもなんとなく察せられると思うが、理香には、女友達があまりいない。社交的なタイプのわりに、同居できるほど仲のいい友人がいないのである。

私が感動したのは、なんといっても、「玄米ブラン」である。

作者の性別どうこうというのは好きではないけれど、しかしここに限っては言いたい。「なんで朝井リョウはこんなに的確に女子の朝ごはんをチョイスできるのか……!!」と。

この玄米ブラン、という食べ物には二重の意味があると思う。ひとつめは、大学生らしい食事であること。ちゃんと姉と朝ごはんを食べる時間はありながら、料理せずに食べられる簡単なもので、そこまでお金もかからなくて、しかしカロリーも低そうで……という条件を満たしたごはんといえば、玄米ブランである。「コーンフレーク」とか書かずに、「玄米ブラン」であることが解像度が高い（今だったら「オートミール」とか書かれるのかもしれない）。

そして理香は、おそらく緊張しいのところがあり、そのせいで胃腸が弱いらしい。「姉のかわりに同居人を探さなくてはいけない」と聞いた時から、便の出が悪い――緊張して便秘になってしまっているのだろう。それを気にして、食物繊維豊富な玄米ブランを食べている。そんなにおいしくない。でも、ぼそぼそと毎日食べている。いっこうによくならない胃腸を気にしながら。

……いやほんと「解像度が、高い！」と叫びそうになる。ここで、適当にパンとか牛乳とかを食べる風景で済ますこともできるだろう。姉と理香の会話を描くだけでも、展開に支障はない。理香の焦りは、無言になった、とか書くだけでもいいわけだし。

しかしここで「玄米ブラン」という小道具を持ってくることで、一気に小説としての解像度が上がる。

「なんで朝井リョウって女子が玄米ブラン的なものを朝ごはんにしたがるの、知ってるんだろう」と、私は小説を読んだ当時感動した。しかもそれが、理香のぼそぼそとした焦りや不安を丁寧に表現しているから。

さらにティッシュのエピソードも、理香と姉のキャラの違いを端的に説明している。きっとこのエピソードを読んだ読者は、「ああ、そういう人って、ティッシュめっちゃ使うのに、自分では買わないよねえ、わかる」と納得することだろう。

こういう、**情景描写に取り入れられたちょっとした小道具によって、登場人物への解像**

度はいくらでも上がる。

「ああ、なるほど、そういう人ね」と読者はより理解できる。

ティッシュ買わないタイプね、なるほどね、と。

逆に、雑に書けば書くほど——たとえばカロリーを気にしてそうな女子大生の朝ごはんがトーストにジャムにウインナーとか——読者としては、小説に集中できなくなる。別にリアルじゃないとか言いたいわけじゃなくて、単に、小説から透けて見える、人間に対する解像度の低さに萎えるからだ。

小説はフィクションだ。だからこそ、人間や世界に対して、細かい描写を見せてほしい。

普通の人なら気づかないような、作者の理解をちゃんと示してほしい。

だってそういうものを読みたくて、読者は、現実には存在しないフィクションのページをひらくのだから。

職場

数字の細かさも解像度を左右する

『わたし、定時で帰ります。―ライジング―』朱野帰子

学校と並んで、多くの人が経験したことのある「場所」。

それは、職場である。

……とひとくちにいっても、職場なんて、千差万別に決まっている。みんな業種も違えば雇用形態も違っているわけだし、オフィスとは、学校よりもさらに差異が大きい場所なのではないだろうか。

しかしそれでも私たちは、職場が小説に出てくると、なんとなく厳しい目線で見てしまうような気がする。えっ、こんなオフィス、リアリティないんじゃない？　と。こんな夢みたいな仕事ないよな～とか、なんかご都合主義に感じちゃうよな～とか。小説のなかに出てくる職場を脳内で映像化する時に、自分が知っているオフィスをつい基準にしてしまうからだろう。

だからこそ小説に職場を書くのは、難しい。だって、これは現実と違うじゃん、って思われやすいから。

その仕事が特殊な職業――たとえばわかりやすく警察とか漫画家とか医者とか――ならば、自分の会社と重ねるなんてこともないのだろうけれど。その**職種が、いわゆる「普通の」会社員であればあるほど、いろんな人のジャッジを潜り抜けなくてはいけない。**

一方で私はオフィスが出てくる小説が好きである。

自分が働いているから、働いている人が出てくる小説も好きだし、そこで主人公たちが頑張っていると励まされる。さらに、その職場にリアリティがあると余計ににっこりする。イケメン上司なんていらないから、仕事をしつつ、いきいきと働いていてほしいのだ。だっていきいきと働ける職場なんて、イケメン上司よりよっぽどファンタジーなのではないかと思うから。

というわけでこの世の小説に、もっと面白いオフィス（できれば会社）シーンが増えてほしい！　面白い仕事シーンが出てきてほしい！

そんな思いを込めて、「職場」の名場面をご紹介したい。

次に参照する小説は、ドラマ化もされた「わたし、定時で帰ります。」シリーズの第三弾『わたし、定時で帰ります。―ライジング―』の一場面である。

主人公の結衣(ゆい)は、「定時で帰る」をモットーに、ネットヒーローズというＩＴ企業で働く会社員で、第三弾では管理職になっている。結衣の目下の悩みの種は、残業代を稼ぎたいからとむやみに残業をする部下が増えていること。結衣はできるだけ彼らの残業を減らすためにさまざまな手立てを考えるが、なかなか上手くいかない。

一方、婚約者の晃太郎(こうたろう)は、結衣と同じ会社で働いている。ふたりは、晃太郎の購入したマンションで同棲を始めることになったのに、晃太郎は炎上対応で急に長期の地方出張に行ってしまう。「住宅ローンはしばらく俺が一人で払う」「現金を貯めろ」という言葉を残して……。

以下で引用するのは、結衣が職場で部下の工数計算書について話しているシーンだ。

「本間さんの工数計算書、本人が見せないんだけど、見る方法ないかな」
「へ」吾妻は怪訝な顔だ。「俺になんとかしてくれってこと？　まあいいけど……。錦上製粉が商品回収のプレスリリース出すから、二十一時まで待機しててくれって言われてんの。その時に、うまいこと言って見せてもらうわ。……え、何その苦い顔？」
「それって、本間さんにも残業させろって言ってるの？」

「定時後に一緒に仕事した方が連帯感出るからさ」

「妙なもの出さないでいい。手段は選ばなくていいから、就業時間内によろしく」

そう言って顔を上げると、視線を感じた。

さり気なくオフィスを見回すと、塩野谷だった。離れたところに立って新人の指導をしているようだ。その目がこっちに向いている。さっき言われた言葉が脳裏に蘇る。

――残業したい人たちを迫害するのはそろそろやめたら？

迫害なんかしていない。結衣はノートPCを鞄に入れてオフィスを出た。


外回りが終わると十八時になっていた。上海飯店の前まで来て結衣は足を止めた。ジョッキに注がれたビールが飲みたい。そんな誘惑を振り払い、駅前の西友へと向かう。野菜炒めを作ろうと思って、キャベツを手に取ったが案外高い。

この二週間、苦手な自炊を頑張った。家計管理アプリに収支の入力もした。晃太郎がキッチンのカウンターにドサっと置いていったマンション購入時の資料をめくって、ローン返済を試算した紙も見つけた。

このマンションは、なんと六千三百万円もするらしい。

築浅とはいえ中古で駅から遠く、ファミリー物件にしては六十五平米と狭めなのにこんなにするのか。都内のマンション価格が高騰していて手が出ない、という嘆きを同僚たちから聞いたことはあったが、これほどとは思わなかった。

三十五年ローンで月々の返済は十五万円。さらに管理費、修繕積立費、固定資産税も出ていく。数字を見ているだけで気持ち悪くなった。

だがネットヒーローズは薄給ではない。入社十一年目の結衣の年収は四百八十万円。晃太郎はヘッドハンティングを受け、管理職採用されているから、結衣よりも高年収のはずだ。二人で稼げば、毎日上海飯店に通う余裕くらいはあるのではないだろうか。


(朱野帰子『わたし、定時で帰ります。―ライジング―』新潮社、37~38ページ)


この小説とは関係ない話だが、私は、たまにアマチュアの人が書いている小説を読んでいて、会社のシーンが出てくると、面白く感じる。

なぜなら、会社の描写が妙~に細かいことがあるから。

ああ、きっとこの作者さんがこういう会社に勤めているのではないかなあ、と背後にある現実の生活を思い浮かべ、読者としてはつい微笑んでしまう。

そう、やっぱり細かい描写というのは妙に面白い。食卓の項でも述べたけれど、**ちゃんと小道具が細かいと、小説としての説得力が増す。**そしてその細かさが、**ただ細かいだけ**

じゃなくて、解像度が高いものだと、「わかる！」と小説に対して前のめりになれる。

そういう意味で、紹介した場面は、「この小説、ちゃんと細かい！」と叫びたくなったシーンである。

まず、最も「ちゃんと細かい」のは、やっぱりなんといっても「六千三百万円」に「四百八十万円」である。

職場の描写というか、もはや会社員の描写の話だが、会社員の年収および買ったマンションの金額をちゃんと書いてくれる小説って、そんなに、ない。

でも会社員にとっては重要なテーマである。

もちろん、すべての会社員が主人公の小説において、年収を書く必要はない。しかしたまにドラマで、明らかにそこまで稼いでいない主人公が東京のいいマンションにひとりで住んでいたりすると、「なんでー!?」と叫びそうになってしまう。その瞬間、たとえ恋愛ドラマだろうが、ちょっと萎えてしまう。

そこにリアルさを求めるなよ！　夢を見させるのがフィクションでしょ！　と怒られそうだが。それを言われたら私は、いやこれは**リアルさというよりも、物語とその背後から浮かび上がる人間への解像度の高さの問題**だよ！　と本気で言い返したい。

物語を読むなら、できるだけ人間がちゃんとそこにいてほしいし、人間の描写は、その人が普段どういう生活をしているか、という箇所からまずは始まるんじゃないかと思うのだ。生活の部分で夢を見させなくていいのではないか。

会社員なら、「どういう生活をしているか」を構成する最たるものが、家賃そして手取りである。

というわけで、別に書かなくても、**物語から想定される家賃や手取り収入額に矛盾がなければ**私はその小説を全力で信頼する。こうやってはっきり書かれると（それは物語の展開上、必要な情報だったのだが）、さらに信頼してしまう。

そして数字の箇所以外でも、吾妻の仕事内容、吾妻は二十一時まで残業していること、ネットヒーローズがPC持ち帰りOKなくらいにはベンチャー気質であることなどが、細かな描写によりわかるようになっている。こういう**細かさこそ、小説が信頼されるための鍵**なのだ。

「職場」は、誰でも経験している。いわゆる「普通の会社員」が登場人物だと、なおさらその母数が大きい。しかしだからこそ、**そのキャラクターに沿った描写の解像度の高さが、必要になる**のだ。

買い物 他人の欲望は面白い

『上流階級 富久丸百貨店外商部Ⅲ』高殿円

買い物、好きですか。私は好きです。

いや、好きだけど悩むことも多い。本や漫画のように、自分が欲しいものがすぐにわかって、比較的ぽんぽん買いやすいものならいいのだが。洋服や靴になると、一気に悩む割合は増える。必要な予算も高けりゃ、身に着ける機会も多い。どうするかな、とものすごく悩む。

しかし、だからこそ！ **小説の中でくらい！ 豪快な買い物が見たい、という欲望**はいつまで経っても消えない。

がんがんモノを買う場面を読みたい。そしてあわよくば自分も買った気になりたい。豪快なお買い物小説、誰か書いてくれないかなあ、と思う時がよくある。

というわけで、ひとつでもこの世に買い物シーンが増えてほしいので、今回は、私が好きな「買い物」の名場面を紹介したい。

この世に買い物は数あれど、やっぱり日本で豪快な買い物といえば、デパートですよ。

「あの、さっき八階でお会いしましたよね。ここの店員さんですか？」

驚いて、思わず椅子からずり落ちそうになった。

「変なこと聞いてすみません。だけど、もしよかったらいっしょに選んで欲しいんです」

「なにを、選べば……」

「強いダイヤ」

それが、NIMAさんとの出会いだった。

そのとき彼女は、三階の婦人服フロアに仕事帰りに買い物にきているOLのように見えた。着ている服もバッグも靴もとりたてて高価なものではない。けれど、ダイヤを買うんだという強い意志にあふれていて、静緒（しずお）はそのオーラに圧倒され、すぐに時任さんのもとへお連れした。

NIMAさんは、「とにかく強いやつが欲しい」と繰り返した。

「圧倒的に強くて、身につけてるだけでMPが回復しそうなヤツが欲しいです。HPも回復するならなおいいです。敵を倒せそうなものが欲しいんです！」

静緒と時任さんは顔を見合わせた。ＮＩＭＡさんが言っている言葉のはしばしに知らないワードが挟まっているが、とにかく彼女がダイヤやジュエリーを身につけることによって、メンタルを立て直したいのだということだけは理解した。

先に口火を切ったのは時任さんだった。

「ご予算はいかほどで？」

その日、ＮＩＭＡさんは時任さんが薦めた総カラット数七カラットのブルーダイヤ、百二十万円をカードで一括購入した。

それから、静緒のすすめで外商の顧客になったＮＩＭＡさんは、一ヶ月に一度くらい、急に「強くなれるアイテムが欲しい」と電話をかけてくるようになった。シャネルに連れていけばシャネルのスーツとバッグ、ブーツを「強そう」と気前よく買い、バックヤードでスタッフにあの人は何者だと小声で聞かれる。

強い時計が欲しい、と言われロレックスに連れて行けば、「勝てそう」と三百万の新作をぽんと買う。元気になる肉が食べたい、とメールがありすぐに神戸牛（こうべぎゅう）の特上を送ったら、次の日に同じ肉があと三セット欲しいと連絡があった。

（高殿円『上流階級　富久丸百貨店外商部Ⅲ』小学館文庫、42〜44ページ）

「上流階級　富久丸百貨店外商部」シリーズは、神戸の芦屋にある百貨店を舞台にした、外商員たちの物語である。

外商員とは、百貨店にとって特別な顧客――つまりはものすごくお金を使ってくれる顧客に、家に商品を直接持って行ったり、購入のサポートをしたりする販売員のことだ。要はセレブのお客さんに対して特別に配置された販売員。主人公の鮫島（さめじま）静緒は、外商員として勤務している。

彼女たちは、さまざまな富豪に出会う。そして買い物を手伝うなかで、それぞれの人生に触れてゆく。この作品の、**「買い物を通して人生が垣間見える」瞬間がとても面白く**て、いうなれば人様のレシートを覗き見ているような心地になるのだ。

そして『上流階級　富久丸百貨店外商部Ⅲ』に登場するお客さんのひとりが、大人気イラストレーターのＮＩＭＡさん。

ＮＩＭＡさんはある日いきなり静緒のもとへ現れ、「とにかく強いやつが欲しい」という言葉で、買い物をばんばんしていくお客さんなのだ。

この、買いっぷりを、堪能してほしい！

読んでいると、こちらまで嬉しくなってくるからだ。

なんせ、**商品名がぽんぽんと出てくるところがいい。**無駄な会話がないからこそ、商品がたくさん出てきて、そしてたくさん買う様子が伝わってくる。

とにかくこのデパートで買ったものが羅列される感じ、読んでて、嬉しい。

……しかしこれ、どこかで見たジャンルと同じ構造ではないだろうか?

買い物描写は何に似ているか。それは、世の中に存在する、グルメ漫画というジャンルである。

グルメ漫画。それは主人公がおいしそうにごはんを食べる描写を読者が読んで楽しむ物語。

グルメ漫画がなぜ人気があるのか。それは、あらすじ以上に**「人がおいしそうにごはんを食べるところを見ることが、面白い」**という需要があるからだ。

人がおいしそうにごはんを食べているところを見ると、なんだかこちらまで、ごはんが素晴らしいものに思えてくる。毎日食べているごはんが、輝くものに見えてくる。

そしてなにより、自分もお腹が空いてくる。

これと同じことが、買い物においても言えるのではないか。

みんながみんな、毎食とてもおいしいものを食べられていないのと同じように、私たちは普段、百貨店に行っても、毎回満足した買い物ができるとは限らない。予算が足りないこともあれば、ぴったりな商品が見つからないこともある。

しかしフィクションのなかで、楽しく自分の欲望——ＮＩＭＡさんだったら「強いものを買いたい」——を豪快に満たしているところを見ると、なんだか読んでいるこちら側も、楽しくなってくる。

そもそも買い物自体が面白く見えるし、なにより、自分も楽しく買い物がしたくなってくる。

グルメ漫画と同じ構造である。

人が欲望を楽しく満たしているさまを見るのは、面白い。

グルメ漫画だと、キャラクターが食べているものの情報がちゃんと精緻に載せられていることが重要になってくる。それは買い物も同じだ。自分は買うことがないとしても、ただの「高いスーツ」じゃなくて「シャネルのスーツ」と言われたほうが、読者は俄然、テンションが上がる。

小説では、ＮＩＭＡさんがどうしてこんなに「強いもの」を買いたがっているのか、その真相が明かされる。静緒はその騒動に関わることになるのだが、こういう「強いもの」

を買っているシーンがちゃんとあるだけで、逆にその騒動によるNIMAさんにとっての心の負担もわかるというものなのだ。つまり、**これだけ強いものを欲するということは、それと同じだけ、傷ついてる**わけだから。

もちろんみんながみんな「強いもの」を買いたいわけじゃない。必要に迫られて、とか、なんか買いたかったから、とか、買い物の数だけ理由はある。

しかし一方で**買い物には、意外と、その人の精神状態が反映される。**「上流階級　富久丸百貨店外商部」シリーズを読むと、ああ買い物ひとつとってもこんなにもキャラクターの人生観を反映させることができるんだなあ、と驚いてしまう。

買い物描写、私は好きなので、もっともっと増えてほしい。そして漫画などだと変えなきゃいけなくなるような、ブランド名や店の名前も、小説ならそのまま出せることが多いから、がんがん出してほしい。

そしてなかなか買い物を百パーセント自由に楽しめない私たちの心を満たしてほしい。『上流階級　富久丸百貨店外商部』を読むにつけ、そんな己の欲望に、どうしても気づいてしまうのである。

グルメ漫画が流行ってる昨今、買い物小説も、もっと、流行ってくれませんかね!?

異世界

読者の五感を反応させる

『後宮小説』酒見賢一

小説はいいなと思う点のひとつ。

それは、**舞台設定において、予算が関係ない**ところだ。

実写映画や実写ドラマを作るとなったら、それはそれは大変である。たとえば異世界を描くとすると、CGにしろ、セットを作るにしろ、予算の影響を受ける。背景も、衣装も、フィクションの設定なのにどこか現実の制約――つまり「これを実現できるかどうか」という検討の影響――を受けることが多い。

しかし**小説は、なんでも描くことができる。個人の想像力と、それを他人に想像させる筆力さえ、あれば。**

言葉は予算の都合を考えなくて済む。ただただ、書きたいものを書けばいい。だから小説は面白いのだ。

だが一方で、**「異世界」ほど、小説家の技量が試される舞台もない**かもしれない。

次に紹介するのは、小説で描かれる異世界ファンタジーの舞台。

小説のジャンルは数あれど、異世界を描く物語は、ちょっと特別かもしれない。今まで紹介してきたような学校や食卓とは違って、「あーわかる、そういうことってあるよね！リアルだなあこの描写！」と共感されるような描き方はなかなかない。だって異世界に行ったことがある人なんて、まあ、学校に行ったことがある人よりは少ないだろう。

じゃあなんでも描いていいかと言えば、そうでもない。読者としては、異世界の話は描写を楽しみにしているからだ。

たとえば「ハリー・ポッター」シリーズは、あの細かい学校の描写やちょっとした買い物の描写があるからこそ、面白くてわくわくする物語になっているのだ。あれがただハリーがヴォルデモートと戦うだけの話だったら、あそこまでヒットしなかっただろう。ホグワーツの授業やイベントの描写、あるいは細かい買い物や呪文の設定があるからこそ、あそこまでたくさんの子どもの心をつかんだのだ。

今回「ハリー・ポッター」の名場面について語ってもいいのだけど、純然たるファンタジーに詳しい人は私以外にもたくさんいるだろうから、この章では私の好きな異世界ファンタジー小説について書いてみたい。

紹介するのは、酒見賢一の『後宮小説』。第一回日本ファンタジーノベル大賞を受賞した、名作異世界ファンタジー小説だ。

『後宮小説』が舞台とするのは、架空の異世界。設定などは中華風ではあるが、基本的にファンタジーな国である。

主人公は十四歳の女の子である銀河。新しく就任する皇帝のために、後宮の女性たちが募集されることとなった。銀河は「三食昼寝付き」という募集要項に惹かれて、応募する。銀河は後宮の女性となるための教育を受けることになるが、奔放さを活かし、意外と高い地位へとのし上がってゆく……。

『後宮小説』の舞台設定は、はっきり言って、かなり変わっている。

そもそも物語の書き出しが、これである。

腹上死であった、と記載されている。

（酒見賢一『後宮小説』新潮文庫、9ページ）

物語はこの文章から始まる。他のどのファンタジー小説がいったい「腹上死」から始まるだろうか。『後宮小説』以外に見たことがない。

しかしファンタジー小説というジャンルは、読者が「ついていけない」と思ったら、日常を描いた小説などよりもはやく読者の手を離れてしまう――つまり、それ以上ページをめくってもらえないジャンルであろう。なぜなら私自身、読者として「ううーんこれ以上読んでられないな」と感じて読むのをやめたことが、ファンタジー小説に関してはしばしばあったからだ。

もちろん、これは私が読者として読む力が足りなかったことも大きい。昔は読めなくても、今は読める物語もたくさんあるだろう。だから一概に作者がどうと決めつけられる話ではない。

でも、一方で、やっぱり**ファンタジー小説って、「その世界がどういう場所なのか」「どういう異世界で主人公は生きているのか」がはっきり想像できること、そしてなによりも、「異世界に行けるという冒険を脳内でできるかどうか」がかなり大切**なジャンルではないだろうか。

つまり、小説として、**「その世界を想像させる力」のようなものが、かなり必要**なのだ。ファンタジー小説は、親切じゃなければ読者がなかなかついていけない。

しかしその親切さは、単に「物語の展開を追いやすい」とか「世界の描写が細かい」とかそういうわかりやすさに依拠しているわけではないのが、難しいところ。この先の展開が読めなくても、読者はその世界を想像さえできれば、ついていける。そして世界の描写がものすごく細かくなくても、そこを想像さえできていれば、ページをめくる手は止まらないはずだ。

ではどうやって読者にその世界を想像させるのか？　そこが、ファンタジー世界を描く時の腕の見せ所なんじゃないか。そう私は一読者として思っている。

『後宮小説』の話に戻ると、この小説は、トンチキな設定で突拍子もない展開もたくさんあるのに、なぜかページをめくる手が止まらない。

なぜなら、この小説が、**ちゃんと読者に想像させるポイントを押さえているからだ。**

以下で引用するのは、主人公・銀河がお風呂に入る場面である。

> 確かに銀河は疲れていると感じた。また、先刻、たるとの中で失禁したことを思い出し、すると一刻も早く身体を洗いたくなった。
> 『お風呂のことを訊けばよかった』
> 銀河はそう考えながらあてがわれた部屋に入った。
> 部屋の内部を観察するよりも早く、匂いが鼻を衝いた。むっとするような濃厚な香

水の匂いである。同時に厭らしいほどの女臭さも嗅いだ。銀河は香水など付けた経験がなかったので、鼻がむずがゆくなるほどの強い刺激を受け、反射的にこの人工的な甘い香りに嫌悪感を抱いた。

「たれか？」

その匂いの主、鏡台の前で長い髪を念入りに梳いていた女が、いやに冷たい、つんとした言い方で言った。女は鏡台に向かったまま振り向きもしない。

「あなた、なにを突っ立ってるの？　扉を閉めたらどうなの」

女はそう鏡に映った銀河にいった。銀河は黙って扉を閉めた。

女の黒く長い髪は櫛が通るたびに、さらさらと音を立てて揺れた。

「ふうん」

女は軽んずるニュアンスを明らかに込めて鼻で言った。先刻から銀河を観察していたらしい。その、ふうん、に多少むっとした。扉を閉じると部屋の中の濃厚な香りは逃げ場を失い、さらに密度を深めて銀河の鼻腔に侵入する。

「なあんだ、まだ小便臭い小娘じゃない」

女ははっきりと聞き取れる小さな声で言い、笑ったようだった。

「ひとに背を向けたまま話すなんて行儀が悪いわね」

と銀河は言った。小便臭いと言われたことが銀河の顔を憤怒で赭(あか)くした。

（同前、78〜79ページ）

この描写の何が面白いって、やっぱり、「匂い」だ。

むっとするような濃厚な香水の匂い、と言われると、読者も想像がつく。いい匂いとは言い難い、あの、香水ふっかけすぎだろうとツッコミを入れたくなる香りのことだ。異世界の話ではあるけれど、濃厚な香水と言われると、想像することができる。

そして、それに嫌悪を覚える銀河に共感する人もきっと多い。そのうえ、扉を閉めた時に、濃厚な香りがさらに閉じ込められて鼻につくところも、なんとなく想像できる。

香水の銘柄や、どんな香りか具体的に書かなくても、読者が「あれね!!」と想像できるように描くことは可能なのだ。

これだけの描写でも、銀河たちのいる場所がどういう世界で、どういう人がいるか、理解できる。だからこそ、「たるとの中で失禁」とか「まだ小便臭い小娘じゃない」とか、そういうパワーワードが光るのだと思う。その小説ならではのユニークな言葉遣いも面白いが、同時に、読者を置いてけぼりにしない描写（ここでいえば「読者がさらっと想像できる香水の描写」とか）もまた、大切なのだろう。

今回紹介したのは、「匂い」の描写の一端でしかない。しかし『後宮小説』は、どんな場面でも、読者をちゃんと置いていかないように工夫されている。私たちは舞台となっている国に行ったことはないけれど、それでも、「ああ、あんな感じだろうな」と肌で想像できるような描写がちゃんと要所要所で描かれている。

ファンタジーというと、**細かい小道具の名前や、具体的な組織の名称に重きが置かれがちだが**（そしてそれもまた格好良さを演出するうえで大切なポイントだと思うが）、**それ以上に、読者に肌で想像させてほしい！** と感じることが多い。

その世界がどんな場所なのか。その人は、どんな人なのか。**見た目や名前だけでなく、匂いで、感触で、五感を使って想像させてほしい。**

それさえあれば、読者はなんだかんだ、どんな世界でもついていけるような気がする。だってそれが小説だから。

どんでん返し　ひっくり返すために積み上げる

『死ねばいいのに』京極夏彦

どんでん返し、好きですか？

私は「おおっ」と思わせてくれるどんでん返し、好きです。

……そりゃ「おおっ」と思わせてくれたらみんな好きか。でも、やっぱり「おおっ」と思わせるかどうかって、当たり前だけど技量が必要だ。

どんでん返しや、推理小説の謎解き、あるいはサスペンスなどにおける「物事がひっくり返る瞬間」を小説に描く時。実は、そこに至るまでの「導入」が重要なのである。


次に扱うのは、京極夏彦の『死ねばいいのに』。

タイトルもインパクトたっぷりの小説だが、中身はもっと凄（すご）い。ある女性の不可解な死をめぐって、関係者六人分の「語り」が綴られている。そしてそれを聞いてまわるのは、ただのチャラそうで失礼な雰囲気の男性。はたして彼は、何者なのか？　なんのために女性の殺人の真相を知りたいのか？　そして関係者たちは、彼に何を語るのか？

この小説の面白さは、六人分の語りでそれぞれ「おおっ」と思わせるどんでん返しがあること。単なる女性の死の真相を明かす謎解きだけではなく、読者を驚かせるような展開が、六回分あるということだ。

やっぱり、**読者は驚きたいのだ。ちゃんと騙されたい。ちゃんと納得したい。ちゃんと、びっくりさせてほしい。**

京極夏彦という作家は、読者のそんな欲求を満たすのが、とても上手い。

この小説はどうしてこんなにも読者を騙すのが上手いのか？　そして、読者を驚かせられるのか？　その答えは、冒頭でも述べた「導入」に鍵がある。

紹介する名場面は、死亡した女性・鹿島亜佐美（かしまあさみ）の事件を捜査する警察官のもとへ、ある男——渡来（わたらい）という若い男性——がやって来たので、事情聴取している場面である。

警察官の語り手は、渡来のことを、訝（いぶか）しく思っている。なぜなら、渡来のほうから警察にやって来たのに、彼は何も喋ろうとしないからだ。ふつう、警察にやって来たからには、何か捜査協力のために伝えたいことがあるはずなのに。渡来は、何を語ろうとしているのか、いまいちつかめない。

考えているのだろうか。思い出しているのか。事件発生から日も経っているし、これは仕方がないことだろう。

思い込みの激しい情報提供者は、こうした反応はしない。

もっとしたり顔をしている。そして会うなり喋りまくるのである。同じことを何度でも繰り返し、興奮して自慢気に断定する。鬼の首でも取ったかのように。さっさとお礼をしろと言わんばかりに。

そうでなければ、もっと深刻な顔をしているものだ。自分が世界崩壊のキーマンであるかのような深刻な顔だ。そして訳知り顔で講釈を垂れる。概ねは、新聞発表された内容とワイドショー辺りで垂れ流された頭の悪い文化人の意見なんかを元にした事件の捩じ曲がった解説であり、肝心の新情報は屁のように些細なものだったりする。

（中略）

この渡来という若者は、少なくともそういう迷惑な手合いではないようだった。その辺は経験で判る。

不安ですかと訊いた。

「自信がないのでしたら——安心してください。警察も慎重に捜査を進めますから、そこは大丈夫です。失礼を承知で言うなら、あなたの証言を鵜呑みにするようなことも——ありません。きちんと調べますから、証言が間違いだったなら必ず判りますし、そうなら採用はしません。君の証言がもし間違いだったとしても、君が責任を問われたりすることはない」

（中略）

「いや、違うから」

渡来は短くそう言った。

「違う？　と、いうと何なんだろうな」

「面倒臭いすね」

渡来はそう言って、少し前屈みになった。

「面倒って——どういうことかな」

「前置き長ッ、て感じすよ。そんだけ保険掛けないと話出来ないもんすか。ソフトのアップデートん時の使用許諾書みたいすよ。許諾しますをクリックしねーとインストールとか出来ねーんだけど、あれいちいち読まないす。俺。ＯＫっす。だから、まだ続くなら端折ってくんないすか？」

「これは手続き的なものではないよ。ただ、君が黙っているからだな」

「だから」

違うんすよと渡来は言った。

「解るように言い賜え」

「喋らしてくんないじゃないすか。俺、別に事件のこと話しに来たんじゃないんすよ。アサミの話を聞きたいいって言ったんすけど。担当の刑事さんの話聞きてーって。受け付けでそう言ったけど」

「聞きたい?」


(京極夏彦『死ねばいいのに』講談社文庫、307~310ページ)


この場面での「どんでん返し」はどれかというと、最後の言葉「聞きたい?」だ。

警察官のほうは、自分はいつも聞き手なのだ。どちらかといえば、事情聴取などいつも「話してくれない人に話させる」のが仕事である。だからこそ、渡来が来た時も、「何か話したいのだろう」と決めていた。

しかし渡来は違った。彼は「アサミについて話を聞きたい」からこそ、警察にやって来たのである。

立ち位置が逆転する。警察官にとってもそれは驚きだし、なにより読者も「渡来が何を喋るつもりなのだろう」と考えていたところで、それをひっくり返される。

警察といえば、話を聞く側である。――その役割を、ここでくるりと逆転させるからこそ、この話はどうなっていくんだろう、と読者はページをめくるのだ。

ここで大切なのは、「聞きたい？」に至るまでの流れだ。

警察官の語り手が、情報提供者あるあるを語る。読者は、なるほどなあ、そういうものなのか、と頷く。そして警察官らしく、渡来の不安を解こうとする。ドラマで見たような警察官らしい口調で喋る。

しかしそこを、渡来は遮る。「面倒臭いすね」と。

このあたりから、読者は渡来が警察官の流れを変えることを予感する。

そう、**どんでん返しする時は、少しだけの「予感」――それは本当に少し勘づくくらいの――が重要**なのだ。読者を気持ちよく乗せて（今回の場合は「情報提供者あるある」の部分でなるほどと思わせること）、そのあと、読者に「ん？」と流れが変わることを予感させ、そして、一気にひっくり返す。

この流れが、気持ちいい驚きを作っている。

「驚き」を与えるには、その手前で、ひっくり返すべき前の段階をちゃんと作っておくこ

とが大切なのである。

どんでん返しをするならば、返されるお盆に、ちゃんと読者を乗せておかないといけない。

京極夏彦の小説を読むたび、気持ちよくお盆に乗せてもらえる快感、そしてその後、一気にひっくり返される快感、どちらも覚えることができる。

だからこそ、彼の小説に、私はいつも新鮮に驚くことができるのだろう。

ちなみに物語の後半、渡来はこんな台詞を述べる。

「何でもいいからアサミのこと教えてくれって言った訳すよ。でも、誰もアサミのこと話してくれねーの。みんな自分のことばっか。俺がどうしたあたしがこうしたって話ばっかしてから、それで俺に尋き返すんすよね。尋いてるのこっちなのに」

（同前、394ページ）

どちらが語り手で、どちらが聞き手なのか。そして、どちらが作者で、どちらが読者なのかわからなくなってくる。その境目をどんっとひっくり返してくれる瞬間が、小説の中にたしかにある。ぜひ読んで味わってみてほしい。

第4章
そして、物語が転換する
―イベントを書く―

卒業式

鍵となるアイテムを忍ばせる

『こころ』夏目漱石

本章では「イベント」ごとに分けて名場面を紹介していきたい。

というのも私、たまにインターネットで創作している方々のＳＮＳを覗くのだけど。するとそのなかでよく「卒業式」とか「結婚式」とか、イベントをお題として物語を創り出しているのを見かけるのだ。だとすれば「あの文豪やあの有名作家が『イベント』を小説のなかでどう描いているか？」を考えてみるのも、面白いのではないだろうか？　と思ったわけだ。

あの有名な小説のなかではイベントが、はたしてどう描かれているのか。本章では、それを見てゆきたい。

さて最初のテーマは「卒業式」。卒業式の名場面と言えば、古今東西小説も映画も漫画も描いてきたところ。あの文豪・夏目漱石先生も扱っているくらい、卒業式は重要な場面を生み出しやすい。

そもそも卒業式と聞くだけで、なんらかの節目だと思ってしまう。それが物語に出てきた日には、そりゃ物語の転換点を作り出してしまうだろう。

夏目漱石の『こころ』にも、卒業式の場面は登場する。

『こころ』という小説には、教科書にも掲載されている「先生の遺書」のパートの前に、「先生と私」の交流を描いた場面が描かれている。全体としては上中下の三部作になっており、上「先生と私」、中「両親と私」、そして下「先生と遺書」という構成。

『こころ』の主人公の「私」とは、明治末期に学生をしている人物だ。「私」は、夏休みに鎌倉の由比ヶ浜に海水浴に来ていた。そこで彼は「先生」と呼ぶ人物と出会う。そして先生との交流を深めるのだが、卒業後私は田舎に帰ることになる。するとある日、先生からの遺書が届いた。そこには、先生が妻と結婚する前に起こった出来事が書かれてあり、そしてその手紙が先生の遺書であることを私は知るのだった。

そう、『こころ』は、徹頭徹尾、学生時代の話なのだ。

夏目漱石といえば東大の先生をしていたことでも知られているが、『こころ』は基本的に学生だったころを語る「私」の視点が半分と、学生だったころを語る「先生」の視点が半分だ。どちらにせよ、学生であったころの自分を語る物語なのである。

だからこそこの小説には、「学生であるとはどういうことか」というテーマが随所にしのんでいる。自分も文芸の弟子をとったり、あるいは学校で先生として教えていたりした夏目漱石による、学生をテーマにした、学生小説。それが『こころ』なのだ。

そりゃあ現代でも学校の教科書に載るよね、と頷いてしまう。日本でいちばん有名な「学生小説」なんだから。

さて、そんな「学生小説」こと『こころ』だが、ちょっと物語の時系列に注目してみてほしい。

先生と私が出会ったのは、学校の夏休みだ。鎌倉の浜辺で出会ったふたりは、ひょんなことから仲良くなる。そして交流したのちに、先生と私が、結果的に最後となる対面を果たした日。それは、「卒業式のあとに先生に呼ばれた会食」だったのである。

そう、『こころ』の先生と私の関係は、夏休みに始まり、卒業式で終わる。——なんて「学生小説」にふさわしい季節設定なのだろう！　と思ってしまう。これがたとえば「入学式の日に出会って、卒業式の日に別れる」だったらやりすぎて興ざめかもしれない。でも、夏休みに出会った先生から、私が「卒業」するのは、卒業式の日なのだ。これ以上、ふさわしい舞台があるだろうか。

では具体的にその場面を見てみよう。

卒業式の後、私は先生の家でごはんを食べることを約束している。その前にいったん家へ帰る。これから続くのは、卒業式の日の私の描写である。

　卒業式の日、私は黴臭くなった古い冬服を行李の中から出して着た。式場にならぶと、どれもこれもみな暑そうな顔ばかりであった。私は風の通らない厚羅紗の下に密封された自分の身体を持て余した。しばらく立っているうちに手に持ったハンケチがぐしょぐしょになった。

　私は式が済むとすぐ帰って裸体になった。下宿の二階の窓をあけて、遠眼鏡のようにぐるぐる巻いた卒業証書の穴から、見えるだけの世の中を見渡した。それからその卒業証書を机の上に放り出した。そうして大の字なりになって、室の真中に寝そべった。私は寝ながら自分の過去を顧みた。又自分の未来を想像した。するとその間に立って一区切を付けているこの卒業証書なるものが、意味のあるような、又意味のないような変な紙に思われた。

　私はその晩先生の家へ御馳走に招かれて行った。これはもし卒業したらその日の晩餐は余所で喰わずに、先生の食卓で済ますという前からの約束であった。

（夏目漱石『こころ』新潮文庫、98〜99ページ）

私は卒業証書を丸め、その中から「世の中を見渡した」という。

この「卒業証書」、実は意外と小説のなかで鍵となるマジックアイテムなのだ。この後、先生の家でごはんを食べた際、私は「卒業証書」について尋ねる。

奥さんは私に「結構ね。さぞ御父さんや御母さんは御喜びでしょう」と云ってくれた。私は突然病気の父の事を考えた。早くあの卒業証書を持って行って見せて遣ろうと思った。

「先生の卒業証書はどうしました」と私が聞いた。

「どうしたかね。――まだ何処かにしまってあったかね」と先生が奥さんに聞いた。

「ええ、たしかしまってある筈ですが」

卒業証書の在処は二人とも能く知らなかった。

（同前、100〜101ページ）

卒業証書の場所がわからないまま、この場は終わってしまう。そしてこの後、先生と私は別れ、そして先生は自殺する。

私にとって、「卒業証書」は、過去と未来の区切りをつけているものだった。しかし先生は、そんな卒業証書という存在を、「何処かにしまったか」わからなくなってしまったのだ。つまりこの時点で、先生が過去から卒業できていない——ずっと学生の時の出来事を胸に抱き続け、そしてこれからその過去の経験が原因で、自らの未来を断とうとすることが、すでにこの時点で暗示されている。

「先生の卒業証書はどうしました」と私が聞いた。

「どうしたかね。——まだ何処かにしまってあったかね」と先生が奥さんに聞いた。

「ええ、たしかしまってある筈ですが」

卒業証書の在処は二人とも能く知らなかった。

こんなさりげない会話のなかに、私と先生の関係が表現されている。先生は自分の過去と未来の区切りを、自分で見つけられていない。しかし奥さんもどこにあるのかわからない。そのことを無邪気に私は訊ねてしまう。——のちに「遺書」をもらうことになることが、すでに暗示されているのだ。

私は卒業証書を手にすることができた。しかし先生は、手にしたはずの、卒業証書をなくしてしまった。それはこれから続く「先生と遺書」で描かれる、学生時代の先生の罪の物語に繋がってゆくのだ。

「静、おれが死んだらこの家(うち)を御前に遣ろう」
奥さんは笑い出した。
「序(ついで)に地面も下さいよ」

（同前、108ページ）

実際、この晩餐会で先生はこんな会話をしている。

本当に何気ない、読んでいたら見逃してしまいそうな一文だが、夏目漱石は明らかにこの卒業証書に私と先生の在り方の差異を作り出している。先生と私の別れが「卒業式」の日であることも、どうかすると気づかずに終わってしまいそうになる。それくらい些細な、なんでもない描写のなかに、夏目漱石は意外と小説にとって重要なものをしのばせている。

「これでもか！」とわかりやすく演出することもいいかもしれないけれど。読者は気づきそうにない、意外な暗示をしのばせることができることも、小説のいいところ。

学校から、上手く卒業できたら、それは学生としての役割を果たしたことになる。何かを先生から受け取り、学校という場をちゃんと卒業する。そうすることで、学生は大人になる。

だとすれば、『こころ』は、私が先生との出会いと別れを経て大人になる話だし、同時に、先生は結局大人にならずに上手く卒業できなかった話でもある。

学生小説としての完成度が群を抜いているのは、こんなふうに細部を見てゆくと、夏目漱石の**張り巡らせた伏線にたくさん気づく**からだ。

今回は「卒業証書」という形で「卒業式」にまつわる小物が重要なポイントになっていたが、他にもたくさん使える小物はある。古くは第二ボタンもそうだろうし、制服も、学生証も、卒業式というイベントに欠かせないアイテムだ。

だとすれば、**自分の描きたい場面に何がいちばん使えるアイテムなんだろう？　と考えてみる**のもいいのかもしれない。夏目漱石の「卒業証書を丸め、そこから世間を覗いた」場面は、これ以上ない秀逸な、グッとくる学生小説の名場面だと私は思う。

夏休み

小道具で「雰囲気」を盛り立てる

『放課後の音符（キイノート）』山田詠美

夏休みのような、十代の特権のようなアイテムを小説に登場させるならば、その刹那性に注目してしまうのが読者というものだと思う。

たとえば、山田詠美。彼女は十代に限らず、さまざまな年齢の恋愛を描くのを得意とするのだが、同時に、その恋愛を象（かたど）る小物の使い方がものすごく上手な作家なのである。

書いてある内容ももちろん雰囲気があり、大人っぽくて格好いい。が、それ以上に、小物のちりばめ方のセンスが素敵で、小説にしかできない雰囲気の作り方をしているのだ。

物語の展開に関係がなくとも、私は**「雰囲気作り」って実は小説にとってものすごく大切なもの**だと思う。

雰囲気作りとは、すなわち、演出といってもよいのかもしれない。**同じ場面を書いていても、そこにどういった小物を登場させて、物語の雰囲気を演出するのか**——それってバカにされがちかもしれないが、ものすごく重要なことだ。小説をせっかく読むなら、日常よりも少しだけ良い雰囲気に浸りたいではないか。恋愛小説なら、尚更だ。
景色の描写だったり、主人公が持っているものや食べているものの選択だったり、さまざまな「展開にはそこまで関係のない細部」によって、小説の雰囲気はまったく変わって来ると思う。山田詠美はその小説の雰囲気作りにおいて、この国で最もすぐれた作家のひとりだと私は思う。

たとえば連作短編集『放課後の音符』に登場する一編「Crystal Silence」。私の友人・マリの体験した、ひと夏の恋についての物語である。
この小説は、こんな書き出しから始まる。

夏に恋が似合うだなんて、いったい誰が決めたのかしら、とマリは言う。私たちがスウィミングプールに行った帰り、ティールームでお茶を飲んでいた時のことだ。知り合った男の子、親に内緒でのぞいたディスコ、数年ぶりに食べたお祭りの綿菓子。真夏の話題は、いつも少し子供っぽくて、ノスタルジックで、私たち女の子の気持をなごませる。ソーダ水や苺(いちご)のアイスクリームや、そんなふうに色の付いた飲み物やお菓子に一番よく似合う。もちろん、私たちの年齢にも。

（山田詠美「Crystal Silence」『放課後の音符』新潮文庫、85ページ）

この書き出しを読んだだけで、おそらく「この小説、好き！」と目をハートにする文学少女たちはたくさんいたのではないか。というか、私もそのひとりだった。

それは内容よりも、やっぱり、「ティールーム」とか「綿菓子」とか「ソーダ水」とかそういった**細部に宿る言葉の雰囲気が作り出す演出**が、ものすごく上手だからではないか。しかしこの書き出しだけでは、短編小説がどんな話なのかまだ想像はできない。好みの話かどうかわからない。それでも、**書き出しに雰囲気のある小物を持ってくるだけで、「わ、この小説は私の好みかもしれない」と思う人はたくさんいる**だろう。

それが小説の雰囲気作り、だと私は思うのだ。

マリという女の子は、友達といる時もジントニックを頼む。そして夏の思い出を語り始める。語り手の私は、その話をずいぶん大人っぽいものだと思いつつ聞いている。マリは海辺で彼と過ごしていた、というのだ。しかしその恋も終わりを迎える。マリは彼と別れることになる。

この小説のラストは、こんな文章で終わっている。

「泣かなかった？」

「泣かなかった。と、言うより、泣かないように努力をすることで、大変だった。言葉を使えば簡単なのに、と思うように、彼も、泣けば簡単なのにと思っていたと思うの。でも、彼も私もそうしなかった。だからこそ、お互いに、お互いの瞳の色を忘れることはないと思う。でも、彼の目の中に、私の姿がはっきりと映ってたから、彼は、涙は浮かべてたわね、きっと。ほら、美しい気持の時の涙って、鏡のようになるでしょう？」

　そう言って、私を見るマリの瞳も鏡のように私を映している。彼女は色々な人と恋をして来た。きっと、大人たちから見たら、とんでもない子かもしれない。彼らは、そう言うだろう。でも、どうして？　大人たちが眉（まゆ）をひそめるような女の子が、何故（なぜ）、こんなにも綺麗になれるの？　まだ十七歳。それなのに、お酒を飲む。煙草（たばこ）も吸う。男の子とも寝る。そして、彼女は、私のまわりの大人たちよりも、ずっと美しい。鏡のような涙を流すことの出来る人間なのだ。

「私、あの島で、色々なもの味わったわ。甘いお砂糖。苦い海の生きもの。塩辛い海の水。でも、一番、おいしかったのって、彼の私に向けられたあの視線だったわ」

　ちょうど、そのお酒のように？　私は心の中でマリに問いかける。彼女は泣き笑いをしながら、グラスの中に閉じ込めた夏の思いを大切に大切に、すすっている。
（同前、107〜108ページ）

小説のラストで、マリの傾けるグラスに入ったお酒と、記憶のなかの海辺と、瞳のなかの涙が、重ねて描かれるのである。

……なんておしゃれなんだっ、と凡人のセンスからすると愕然としてしまう。意味がわかった時にハッとする。

そしてこれらの「お酒・海・涙」は、どれもほとんど色の付いていない、透明なものだ。タイトルだって「Crystal」とあるのだから、透明できらきら光るものがマリを表現している。

しかし一方で、マリとは正反対の「子供っぽい」女の子たちは、カラフルなもので象徴されている。それが書き出しの「色の付いた飲み物やお菓子」なのである。

ちなみにマリとその他の女の子たちは、服装も異なる。マリは白いタンクトップを着ているが、女の子たちは可愛い色のソックスや飴玉のようなネックレスをつけており、要はここでも「色の付いていない」マリと、「カラフルな色をまとう」女の子たちが対比されている。

カラフルで綿菓子や飴玉みたいな女の子たちは、今時の可愛らしい女の子だ。しかしマリは、ひとりだけ大人っぽい少女であり、皆とは異なるひと夏の恋をする。その対比をわかりやすくするために、作者はマリのことを透明なカクテルや白いタンクトップ、そして瞳のなかの鏡のような涙で表現する。

女の子とマリの対比の行き着く先が、マリの泣き笑いとグラスの中のお酒、なのである。なんて美しい演出なんだ……と読むたび感動する。

小物の演出がなかったら、ただの女子高生のひと夏の恋の物語、で終わってしまう。もちろんそのあらすじだけでもおしゃれで素敵だけど。でも、やっぱり**細部の小物の演出こそが、小説を小説たらしめている。**

山田詠美の小説を読むと、いつも現実世界では味わえないような、空間の全てが作り手の美意識によって作り上げられたホテルに来たような感覚になる。それは決して現実の写し絵ではなく、作者の美意識の世界に私たちは来ているのだ。その美意識とは、台詞の言い回しや、登場人物のキャラクターでもあるのだろうけれど。でもいちばんは、小説に登場させる細部の小物の演出だと私は思う。まるで歌詞にちりばめられた比喩のように、小説に登場させる小物に、作者は決して手を抜かない。それによって、小説の世界観ともいうべきものが、生まれてくる。

夏休みというと、子どもだけの特権で、子どもが子どもらしい経験をする舞台。……なんて固定観念、誰が決めたのだろう？　とでもいうように、山田詠美は、自分の作り上げたホテルに私たちを招待する。そのホテルに行くと、現実ではありえないような、美しい空間に滞在することができる。いつだって。それを私たちはわかっているから、作者の他の作品も読もうか、と思うようになる。

同じ夏休みという舞台でも、**作者の美意識をどこに反映させるか、どんな小物によって表現するか、それだけで体験する物語は絶対に変わってくる**ものなのだ。

季節の変わり目

生活の細部を書き込む

『自転しながら公転する』山本文緒

季節の変わり目……というイベントはないよ！　とツッコミを受けそうなお題でありますが。しかし私はこういう日常っぽい描写が小説に出てくると嬉しくなる読者なのです！小説というと、人生のなかの大事件を扱い、どんどんと展開が進み、ジェットコースターの末に大傑作！　というハリウッド超大作映画のような物語を好む人もいるかもしれない。

しかし小説にしか掬（すく）うことのできない、日常のなかの些細な、苛立（いらだ）ち、安心、快不快もまた存在すると私は思う。わかるわかる、と思わず頷いてしまうようなちょっとしたエピソード。そのような細部を愉（たの）しむのもまた、小説に求める要素のひとつなのだ。だって好きなキャラクターが自分と同じような日常を送っていたら、ちょっと嬉しくなる。

そんなわけで小説のなかで「季節の変わり目を感じさせる描写」を紹介したい。

単純に夏から秋に季節がうつった、と書いても良いのだが。やっぱりキャラクターの行動や言動でそれがふわりと描かれると季節がほのかに伝わってきて嬉しくなるのだ。『自転しながら公転する』は、アパレルの店舗に勤める主人公・都(みやこ)の物語。都は服が好きでセンスがよく、誰と会うにしてもどういう服を着るかまず考えるのが癖。そんな彼女の「季節の変わり目」は、着る服の変化によってやって来る。

秋は唐突にやってきた。つい先週まで店頭で着る秋冬ものの服の下で汗を滲ませていたのに、今朝は急に冷え込んで、ポットから注いだ紅茶が湯気をたて、もやりと顔を覆った。

都は鏡の前で何度も着替えている。

今夜は高校時代の友人たちとの飲み会で、急な冷え込みに着ていく予定だったダブルガーゼのブラウスがすっかり気分でないように感じ、手持ちの服をあれこれ探りはじめた。

クローゼットには、都が自分の中だけで「制服」と呼んでいる、今勤めているブランドの服が増えてきて、じわじわと「私服」スペースを脅(おびや)かしてきていた。最近休日は母の病院の付き添いか近所のスーパーくらいしか出掛けておらず、めかし込む機会もなくて、買うのは仕事用の服ばかりだった。だから当然の結果なのだが、都は何かが大きく目減りするような焦燥を覚えた。

去年のシーズン頭にネットで見てどうしても欲しくて買った、たっぷりとギャザーが寄ったフランネルのワンピースをかぶる。ツイードのジレを合わせ、ニットレギンスにフェアアイル模様のレッグウォーマーを重ねて穿き鏡の前に立った。靴は革のアンクルブーツが合いそうだ。

鏡をのぞき込み、髪を下ろそうかまとめようか迷う。

都の細い髪は元々癖毛でうねっており、パーマをかけると見事にふわふわになる。今の勤め先では服に合わないので編み込んだりひとつにまとめているのだが、ゆるいシルエットの服を着ると髪も可愛くしたくなった。

（山本文緒『自転しながら公転する』新潮文庫、51〜53ページ）

この場面を読むだけで、私は「あ〜季節の変わり目ってたしかに着るものがなくて困るよな〜」「仕事してると、仕事に着ていく用の服ばかり増えてそれにげんなりする瞬間があるんだよな、でもそれってふとした瞬間にしんどくなるんだよな」「いつもと違う服を着るとたしかに髪も変えようかって気分になるんだよな」と、ふと小説に共感する。これはたぶん、**作家が読者の共感するツボをひとつひとつ押してくれている**からだ。

この場面も書きようによっては「季節の変わり目だから、着る服がないと都は困っていた」という一文で終わらせることもできただろう。しかしそれだけでは読者は小説に思い入れを持たない。**ひとつひとつの感覚や、固有名詞、そういった細部の積み重ねがあってはじめて、「これは私の物語かもしれない」という実感を持つ。**

もちろん小説に共感したいかどうか、してほしいかどうかは、人によって異なるだろう。というか共感したくない、してほしくない人のほうが多いように思う。それでも小説という文章の積み重ねに思い入れを持つには、「あ、わかる」と思うポイントを逃さない、「その感覚って誰も言葉にしてなかったな」と読者が思わず発見するようなポイントを描くことが大切ではないだろうか。「その感覚わかる」という一瞬の共感がまわりまわって、小説への思い入れに繋がる。

『自転しながら公転する』を読んでいると、主人公の境遇と自分に共通項はなくとも「わかる」と感じることが多い。それは自分が同じ経験をしただとか同じ感情を味わっただとか、そんな話ではないのだ。ただ日常を過ごすなかで無視しようとしているけれどできない、SNSで言葉にすることも友達にLINEすることもない、うっすらとした不快さや憂鬱を言葉にしてくれているからだ。それはたとえば、「会社に行く時用の服ばかりクローゼットに増えて、そのことにちょっとだけ摩耗した感覚になること」を〝目減りするような焦燥〟と言葉にしてくれることだったりする。あるいは、ギャザー、フランネル、ツイード、アンクルブーツといった固有名詞の積み重ねだったりする。これらの固有名詞を自分が普段使うかどうかは問題ではない。手持ちの服の積み重ねによってその日の全体の自分ができているという感覚のことを「わかる」と感じるのだ。

実は作中、右に挙げた場面の後、都は人生の転機を経験する。ずっと彼氏がいなかったのに、久しぶりの彼氏ができることになるのだ。そんな都の転機を表すかのように、季節は秋に変わる。季節なんて物語の本筋には関係のないことだ。それでも季節を表現してくれる、その日常の些細な描写に私は「小説を読んでいる」という感覚を抱く。季節なんて関係のない大事件を読みたいわけではなく、季節の変わり目に少しだけ気分が重くなるような憂鬱は、小説がもっとも拾いやすいものだからだ。

傍から見たらどうだっていい、ちょっとした生活の細部を描いてほしい、と心から思う。そういう生活の積み重ねで私たちの人生はできている。**小説が人生を描くものだとすれば、生活もまた小説が描くべき素材だ。**それは決しておいしそうなごはんの描写がほしいとか、子育てのシーンがほしいとか、そういうことではない。ただちょっとした季節の変わり目が細やかに描かれることだ。小説に「あ、これは私が読むべき話だ」と感じる、その理由は生活の感覚への共感だったりする。

クリスマス

固有名詞で「身近さ」を示す

『太陽の塔』森見登美彦

クリスマスみたいなベタベタにベタな行事——それこそ小説や漫画に出てくると「恋人たちの行事の象徴」のような存在として捉えられるようなイベントこそ、意外性をもって取り上げるべきではないだろうか。**「あっ、そう来る!?」と読者に思わせてこそ、ベタなイベントを創作の中で使う価値がある**というものではないか。

「クリスマス」がまさかこの物語のクライマックスに来るとは、誰も予想してなかった——そんなふうに言い切ることのできる物語。それがこの小説なのである。

森見登美彦のデビュー作『太陽の塔』は、ファンタジーノベル大賞を受賞し、彼の小説の原点ともいえる一冊となっている。

舞台は京都。大学生——もとい「休学中の五回生」である主人公は、水尾さんという彼女に振られ、失恋し落ち込んでいた。しかし街はクリスマスモード。周囲の男子大学生たちとともに、彼の京都生活は続く。

『太陽の塔』とは、いうまでもなく岡本太郎による建造物である。このタイトルにも象徴されるように、この作品は、とにかく「実在の地名、建造物、施設名」をこれでもかと挙げていることが特徴的なのである。

創作のなかにどれくらい固有名詞を出すか。これが漫画だと、商標の問題があるので、商品名などの固有名詞をぼかさなくてはいけないこともあるだろう。しかし小説は違う。**商品名をはじめとして、いくら実在の固有名詞を挙げても、問題ないのだ。**『太陽の塔』は、京都の実際の地名を使い続けていることが、小説の魅力を上手く作り出している。

本作品に登場するキャラクターたちは、荒唐無稽だ。もちろん大学生としてくすぶる主人公たちのメンタリティはそのへんにいそうな男子大学生そのものであり、とくに珍しいキャラクターではないかもしれない。しかし一方で、たとえば招き猫の人形を持ち出してきたり、ゴキブリを愛好したり、ええじゃないかと街中で叫ぶ計画を立てたりと、その行動はきわめて非・現代的である。彼らの行動は、虚構の男子大学生であることを読者に確信させるものになっている。

だからこそ地名の固有名詞が、実在のものであることが重要なのだ。

京都の街そのものは本物で、私たちの生きる現実に即したものになっている。だからこそどんなにキャラクターがフィクションらしい行動をとっていても、どこか実在しているかのような親近感を覚えることができる。

固有名詞が現実的だからこそ、キャラクターの虚構は際立つ。『太陽の塔』を読むと、固有名詞を細かく使うことがすごく上手く効いているなあ、といつも思う。

それはたとえば、SF小説だからこそ科学的説明をしっかりするとか、ファンタジー小説だからこそ世界観の設定を細かく矛盾なく決めておくとか、そういう秘訣に繋がるのかもしれない。読者は決して、ただフィクションを楽しめたらいいわけじゃない。**「もしかしたら、私たちの生きている現実に通じるものがあるかも」と思えるからこそ、感情移入ができる**のだ。ファンタジーらしいキャラクターを出すならば、その周辺の舞台設定――『太陽の塔』ならば京都の地名や施設――は、きわめてリアルにする必要があるのだろう。

そして『太陽の塔』のクライマックスは、クリスマスの場面になっている。

まさかこの男くさい男子大学生の物語が、本当に、クリスマスで終わるとは。そう驚いた読者もいるのではないだろうか。

しかしクリスマスにひとりでいる時の切なさというものが、これ以上なく表現されたのが以下の場面。主人公がクリスマスイブに寿司屋のバイトを終え、その後にカレー屋に行ったシーンである。

アルバイト終了後、私はカレー屋で昼食を取った。

そのカレー屋の店内には制限時間内に特大カレーを食べ切った記録保持者たちの写真が展示されているのだが、その中にひときわ異彩を放つ一枚がある。ほかの写真は若者たちが大勢で記録保持者を囲んで和気藹々（あいあい）としているのに、その一枚だけはそんな和やかな雰囲気とは無縁だ。髭面（ひげづら）に怪しい笑みを浮かべた巨人が一人、綺麗（きれい）に食べ尽くした皿を投げ出すように見せているという荒涼たる写真である。言うまでもなく高藪だった。（中略）

不安に思いながら、カレー屋を出ると、雨はふたたび強くなっていた。アスファルトの路面が雨足で毛羽立ったように見えた。殴りつけるような雨の中を歩き出しながら、やたらと腹立たしくなってきた。百万遍の郵便局まで来ると、ぼんやりとした車のヘッドライトが、交差点をひっきりなしに通過していた。傘をさして歩く人々の姿も雨のベールの向こう側に影絵のように見えた。男性か女性かも分からなかった。

クリスマスイブなんぞ、このまま雨に流されてしまうがよいと思った。

（森見登美彦『太陽の塔』新潮文庫、206～207ページ）

十二月の京都、冬の雨が降る中のことだ。カレーを食べていると、友人の写真が飾られている。その写真に呆れた後、カレー屋から出ると、雨が強くなっていた。郵便局のある交差点では、雨のなかを車と、傘をさす人々が、通ってゆく。主人公は「クリスマスイブなんぞ、このまま雨に流されてしまうがよい」と思った、という。

この、クリスマスイブに、自分以外の皆がどこか遠くにぼんやり見えて、アスファルトに雨が叩きつけられるという描写がものすごくいい。

男子大学生らしい孤独と切なさとしょうもなさがすごくいい塩梅で表現されている。孤独に絶望する場面を書こうとしても、変な話、「絶望しすぎている」と読者は引いてしまう。でも、たしかにバイト終わりに疲れてカレーを食べて、店から出ると冬の雨が降っていて、「もうクリスマスイブなんて雨に流されちまえ」と思う……という絶望の塩梅は、大学生らしくて絶妙だ。

ここで重要なのは、やはり「百万遍の郵便局」や「カレー屋」といった具体的な表現。これが「夕飯を食べてから店の外に出ると」とか「横断歩道を渡ると」とかいった具体的でない表現だとすると、大学生の生活感が出ないだろう。

読者は具体的に「百万遍の郵便局」がどんな場所か、知らなくて良いのである。読者がなんとなくその地名に生活感や現実感を覚えられたら、それで良いのだ。

クリスマスという誰でも知っているイベントをクライマックスに持ってくるならば、意表をついて「あっこういう形でこのイベントを使うんだ!?」と驚くような使い方をしてほしい。そしてそのためには、彼にとってのイベントをリアルに、身近に感じてもらうべく、固有名詞の使い方に気をつけてほしい。『太陽の塔』を読むと、それらのバランスが絶妙で、だからこの小説は普遍的な魅力を持った物語になり得ているのだなあ、と思う。

誰もが知っているベタなイベントや、逆に、誰も想像できないような不可思議なキャラクターが登場する時には、その周辺を彩る小道具——たとえば舞台設定や地名など——をどのようなものにするか、しっかり考えておくべきなんだろう。

リアルさと、フィクションぽさのバランス。ベタと、サプライズのバランス。親近感と、意外性のバランス。そういうものを天秤にかけた結果、いい塩梅になる小説を、私たち読者はどうしたって好ましく感じてしまうのだ。

名場面
25

結婚式

ハッピーエンドの予想を裏切る

『細雪』谷崎潤一郎

結婚式といえば、ラストシーンなんだろうな、と想像してしまう。

もちろん結婚式から始まる小説もあるだろうし、友人の結婚式に参列する日の話を挿入する小説もあるだろうが、どうにも「結婚式」というお題をもらうと、「物語のラストシーンが結婚式で終わるのかな？」となんとなく想像してしまう。昔の少女漫画のラストシーンが結婚式であることが多かったがゆえだろうか。

世の中には少女漫画のごとく「結婚式」を物語のクライマックスに据える小説がいくつかある。今回紹介する『細雪』は、谷崎潤一郎が「結婚式」をラストに据えた物語である。

『細雪』の主人公は、戦前の関西で暮らす四姉妹。三女の雪子（ゆきこ）には、かつては降るほどの縁談があったが、それらを断ってきたために三〇歳を過ぎても未婚。しかしとうとう観念してお見合いすることに決めるのだが……。彼女たちの関西上流階級文化の優雅な生活を描いた長編小説である。

まあこの小説、とにかく長い。いまなお文庫本にすると、九百ページを超えるほど。そしてあらすじはそんなに展開せず、ただただ華やかな関西の文化と、彼女たちの関西弁で繰り広げられる会話を楽しんでいれば読み終わってしまう小説なのだ。

物語の主眼は、主に「雪子は結婚するのか？」という点に置かれている。が、いざ結婚式のシーンを読もうとすると……面白いのが、長編小説のラストシーンが以下のようなものなのである。

幸子(さちこ)は、そんな工合に急にここへ来て人々の運命が定まり、もう近々にこの家の中が淋しくなることを考えると、娘を嫁にやる母の心もこうではないかという気がして、ややもすると感慨に沈みがちであったが、雪子はひとしお、貞之助(ていのすけ)夫婦に連れられて二十六日の夜行で上京することにきまってからは、その日その日の過ぎて行くのが悲しまれた。それにどうしたことなのか数日前から腹工合が悪く、毎日五六回も下痢するので、ワカマツやアルシリン錠を飲んでみたが、あまり利きめが現れず、下痢が止まらないうちに二十六日が来てしまった。と、その日の朝に間に合うように、大阪の岡米(おかよね)に誂(あつら)えておいた鬘(かつら)が出来て来たので、彼女はちょっと合わせてみてそのまま床の間に飾っておいたが、学校から帰って来た悦子がたちまちそれを見つけ、姉ちゃんの頭は小さいなあと云いながら被って、わざわざ台所へ見せに行ったりして女中たちをおかしがらせた。小槌屋に仕立てを頼んでおいた色直しの衣裳も、同じ日に出来て届けられたが、雪子はそんなものを見ても、これが婚礼の衣裳でなかったら、と、呟きたくなるのであった。そういえば、昔幸子が貞之助に嫁ぐ時にも、ちっとも楽しそうな様子なんかせず、妹たちに聞かれても、嬉しいことも何ともないと云って、きょうもまた衣えらびに日は暮れぬ嫁ぎゆく身のそぞろ悲しき、という歌を書いて示したことがあったのを、はからずも思い浮かべていたが、下痢はとうとうその日も止まらず、汽車に乗ってからもまだ続いていた。

（谷崎潤一郎『細雪』中公文庫、928〜929ページ）

なんとこの優雅な物語のラストシーンは、「下痢」で終わっている。……そんなことある!?　と驚いてしまうが、そんなことある。

はっきり言って『細雪』とは「雪子の結婚をめぐる話」なのである。ふつうの作家だったら、雪子の結婚式を描いて終わりなはずだ。しかし結婚式は描かれない。徹頭徹尾、結婚式に向けた小説を谷崎は書いてきたはずだったのに。彼は結婚式本番を描かずに、結婚式に向かう汽車のなかで物語を締める。雪子はお腹が痛いままで。

このラストシーンには、実はいろんな解釈がある。

たとえば、谷崎の好きな『源氏物語』の「夢の浮橋」のラストシーンへのオマージュだという説。実は『源氏物語』もまた、大長編ながら、ラストシーンは曖昧なかたちで終わっている。きれいなラストシーンではなく、中途半端ともいえる締め方なのだ。谷崎も『源氏物語』に寄せたラストシーンを書いたのでは？ という説がある。
あるいは、雪子の無意識の結婚への抵抗を表現したという説。私はこちらを推したい。

三五歳になり、華族の出の男性との縁談がようやくまとまった雪子。ラストは帝国ホテルでの婚礼のために東京に向かう、その日の雪子の話なのである。やっと手にした静かなハッピーエンド。語り手はそこに嫌味ったらしく水をさす。

（中略）

この小説のもうひとりの主役は自由奔放な生き方を選ぶ四女妙子（たえこ）である。人形制作という仕事をもち、家を出てアパートを借り、あまつさえ恋愛事件まで起こす妙子。それに比べて雪子はあまりに受け身で古めかしい。数日前から止まらぬ雪子の下痢は婚礼に対する無意識の抵抗と解釈できるが、でも下痢ですからね。大腸に自己主張させるって、やっぱ谷崎は変態だわ。

（斎藤美奈子『名作うしろ読み』中公文庫、60〜61ページ）

自己主張の強い四女の妙子と比較し、保守的で何を考えているかわからない三女の雪子。斎藤さんも指摘しているところではあるが、実は雪子は言葉で何も言わない代わりに、目の縁にできたシミや下痢など、身体がものを言うキャラクターなのである。

この「シミ」というのが難儀なもので、実は雪子のひとりめのお見合い相手の瀬越は、「なにか重大な病気があるのではないのか?」と彼女のシミを見て心配するのだ。雪子は色も白いし細いし、病弱そうだと勘違いしたらしい。しかし雪子は健康そのもの。皮膚科に行っても「きっと結婚したら治りますよ」と言われる始末。そう、おそらく皮膚科医は雪子のシミをホルモンバランスの乱れやストレス由来のものだと判断したのである。結局このお見合いは瀬越家側の問題でおじゃんとなってしまう。

雪子の身体は健康なのだ。しかしだからこそ、ストレスが少しでもあると、すぐ体に出る体質なのではないか……と私は『細雪』を読むたび思う。つまりストレスがシミや下痢といったちょっとした不調に出てくるからこそ、体に無理をさせず、大病をしなくて済んでいるのでは、と妄想したりする。

『細雪』という小説は、大長編であるわりに大事件は少ないのだが、それでも飽きずに面白く読めてしまう。それはひとえに谷崎の少しずつ重ねてゆくレイヤーのようなリアリティの積み重ねによるものだ。一見、**華やかで優雅な貴族社会の物語のように思えて、蓋を開けてみると、シミやビタミンB不足や下痢といった日常の病気も丹念に拾っている。**そのどちらも描いているからこそ、生身の人間の話を聞いているようで面白いのだ。

その極めつけが、雪子の結婚式である。やっと決まった雪子の結婚、いったいどんな盛大なラストシーンなのかと読者は予想する。しかし実は、雪子にとって結婚はまた新たなる苦しい日常の始まりだった。周囲は祝ってくれるけれど、自分は気がめいっている。そんな心情を、「小槌屋に仕立てを頼んでおいた色直しの衣裳も、同じ日に出来て届けられたが、雪子はそんなものを見ても、これが婚礼の衣裳でなかったら、と、呟きたくなるのであった」という一文で谷崎は表現している。まあ考えてみればそりゃそうである。いくら世間から褒められたって、自分としては生まれ育った実家で姉妹と暮らしているほうが気苦労は少ないに決まっている。現代よりもさらに嫁の地位は低かっただろうし。雪子がきれいな衣装を見ても心浮き立たないのもよくわかる。

しかし『細雪』という物語は、これまで季節に合った着物をはじめとする華やかな衣装を散々登場させていた。『細雪』という物語もまた、「衣装」の描写で始まる。

「こいさん、頼むわ。――」

鏡の中で、廊下からうしろへはいって来た妙子を見ると、自分で襟を塗りかけていた刷毛を渡して、そちらは見ずに、眼の前に映っている長襦袢姿の、抜き衣紋の顔を他人の顔のように見据えながら、

「雪子ちゃん下で何してる」

と、幸子はきいた。

「悦ちゃんのピアノ見たげてるらしい」

――なるほど、階下で練習曲の音がしているのは、雪子が先に身支度をしてしまったところで悦子に摑まって、稽古を見てやっているのであろう。

（前掲『細雪』7ページ）

これは『細雪』の物語の冒頭なのだが、幸子がよそゆきの衣装を着る描写から始まっているのがわかるだろう。『細雪』にはしょっちゅう、この人はどういう着物を着ているのか、どんな衣装を好むのか、という描写が挿入される。それは彼女たちの住む世界において、衣装の選択がこのうえなく重要な要素だからだろう。そして物語の最後もまた、衣装の話で終わる。おそらく作中もっとも雪子が憂鬱になる衣装である。

『細雪』の最後の一文は、こんな歌で閉じられる。「きょうもまた衣えらびに日は暮れぬ

嫁ぎゆく身のそぞろ悲しき」。衣選びは、彼女たちの住む女性の上流階級においてもっとも重要な要素だった。しかしそれは「そぞろ悲しい」ものであった。雪子の下痢は、そんな白い衣装を台無しにしたがるかのように続いている。『細雪』からイメージされる優雅な世界からは程遠い、現実的なラストシーンだ。

結婚式だからってハッピーエンドにする必要はない、雪子にとってこれはアンハッピーエンドだったのかもしれない、とこの小説を読むとしみじみ思う。まあ、結婚が決まらなくとも雪子にとってはアンハッピーエンドかもしれなくて、そこが難しいところなのだが。それでもこの結婚への憂鬱を「衣装選びの悲しさ」と「下痢」で表現した谷崎って、やっぱり斎藤美奈子さんの言うように変態で、しかし同時に天才だとも思うのだった。

さて、さまざまな名場面を紹介してきた本書も終わりを迎えようとしている。

願わくば、紹介した小説について、あなたに「えー面白そう！　読んでみようかな！」と思っていただけたら幸いである。物語の書き手側の方には「読者ってわがままだなあ、こんなところまで気を付けてほしいのか」と顔をしかめてもらえたら、なんだかとても嬉しい気がする。

小説って、いいもんだと思う。面白いなあと思える物語って、けっこうたくさんある。

そんなことを考えつつ、今日も名場面に出会うため、私は新しい小説のページをめくるのだ。

あとがき

私は小説を読むのが好きなので、この世にひとつでも好きな小説が増えたらいいな、と日ごろから思っております。

好きな小説家がひとりでも増えたら嬉しいし、自分好みの小説を短い人生でいかに見つけていくかを何より大切にしています。それはプロの書いた小説ももちろんなのですが、ネットで発表されている匿名の誰かが書いた小説でも同じです。というか、小説に限らず、文章全般そうですね。エッセイでも日記でもつぶやきでも詩でも短歌でも俳句でも歌詞でもなんでもいいから、好みの文章を読んでいたいです。とにかく好みの文章さえそこにあれば、読んでしまうし、好きになってしまう。

「もはやこの世の全員、強制的に今書きたい文章を書かなければならない世界になったらいいのにな……そしたら私の好みの文章が増えそうなのにな……」と思うことすらあります。妄想ですが。

書く人がもっと増えてほしい、そしてもっと好みの文章を私に読ませてくれ〜。そんな願望を常に抱いています。

本書はいちおう「書きたい人のための「名場面読本」」というタイトルの連載がもとになって生まれたのですが、連載を始めた時も今も、「私の紹介した名場面に触発された人が、何かしらの自分のエピソードを書き始めてくれないかな～そしてそれを私が読めないかな～」という下心は変わっていません。これは今これを読んでいるあなたに伝えているんですよ。そう、そこのあなた。書きたくなったら、いつでも書き始めてみてくださいよ。私が読みますからね。


さてはて、本書は一冊かけて「刺さる小説」とは何なのだろう？　と考えてきたわけですが。結果として、小説の創作者側ではない人間（私）が「こういう小説がいい～」「こういう場面構成であってほしい～」とわがままを言いまくった本になってしまいました。なんとも不遜な一冊。その点については、もうマジでごめん、と平身低頭で謝罪をするほかありません。いろいろわがまま言いすぎてすみません。

とはいえ、世の中にはやたら小説が上手く書ける人たちの「小説指南書」や、小説を上手く指導できる編集者による「小説指導書」はあれど、読者側から提示する「小説要望書」はそんなにないはず。だからこそ「とにかく面白い小説を読みたい！」と叫ぶわがままな読者の小説要望書をここに作ってみたのでした。本書が、書きたいあなたのモチベーションになってくれることを心から祈っております。ほんと。

たぶん書くジャンルを問わず、書くことは孤独だし、得てして読者の声は届きづらいものです。

しかし、あなたの作品を読みたがっている人はここにいるんだ！　という実感を、本書から得てもらえたら嬉しいです。そう、私はあなたの文章を読みたくて、この本を書いたのですよ！　あれこれわがまま言いましたが、それはひとえにあなたの文章が読みたいからなんです！

と、最後に強調させてください。

さて、美しいカバーイラストを描いてくださったｕｋｉさん、本当にありがとうございました！　とっても可愛い絵に感動しました……！

そして本書を作るにあたって、連載時からずっと並走してくださった兼桝綾さん、本当にありがとうございます！　素敵な小説の書き手のひとりでもある兼桝さんの助言に、いつも救われていました。兼桝さんの小説も、これからもっと読みたいです。

本書を売ってくださっている書店の皆様、中央公論新社の皆様。そしてなによりも今こうして読んでくださったあなたに、心からの感謝を！
本書があなたの書く力になりますように。
私は、あなたの書いたものを読めることを、心から楽しみにしています。

本書はWEBサイト「婦人公論.jp」で二〇二一年四月から二〇二二年二月まで連載された「書きたい人のための「名場面読本」」の内容を加筆・修正し、一冊にまとめたものです。書籍化に際し、「講義編」「名場面編　第4章」を新たに加え、引用には適宜ルビを補いました。

三宅香帆（みやけ・かほ）

書評家、作家。1994年生まれ。高知県出身。京都大学大学院修了。著書に『人生を狂わす名著50』『文芸オタクの私が教える　バズる文章教室』『（読んだふりしたけど）ぶっちゃけよく分からん、あの名作小説を面白く読む方法』他多数。編著に『私たちの金曜日』がある。

名場面でわかる　刺さる小説の技術

2023年5月25日　初版発行

著　者　三宅香帆
発行者　安部順一
発行所　中央公論新社
〒100-8152　東京都千代田区大手町 1-7-1
電話　販売 03-5299-1730　編集 03-5299-1740
URL https://www.chuko.co.jp/

DTP　市川真樹子
印　刷　大日本印刷
製　本　小泉製本

Published by CHUOKORON-SHINSHA, INC.
Printed in Japan　ISBN978-4-12-005657-4 C0095